Kohlhammer
Urban-
Taschenbücher
Reihe 80

Band 822

ERHARD EPPLER

Wenig Zeit für die Dritte Welt

VERLAG W. KOHLHAMMER
STUTTGART BERLIN KÖLN MAINZ

Stuttgart Berlin Köln Mainz. Verlagsort: Stuttgart. Umschlag: hace.
Gesamtherstellung: W. Kohlhammer GmbH, Grafischer Großbetrieb
Stuttgart 1971. Printed in Germany. 82 556

Inhalt

Vorwort 7

Dekade der Gewalt? 9

I. Nichts spielt sich ein 13

1. Entwicklung? 13
2. Der Unterschied 15
3. Konsumgesellschaft ohne Konsum? 21

II. Ziele 24

1. Aufholen? 24
2. Selbsttragendes Wachstum? 27
3. Was verkraftet die Umwelt? 28
4. Bedürfnisse 31
5. Dekadenziele 34

III. Ansatzpunkte 37

1. Familienplanung 37
2. Erziehung 40
3. Mobilisierung der Selbsthilfe 45
4. Technologie 48
5. Beschäftigung 53
6. Industrie und Landwirtschaft 58
7. Gesellschaftliche Veränderungen 63
8. Außenhandel 65
9. Die Rolle der Entwicklungshilfe 70

IV. Instrumente 73

1. Anfänge und Kinderkrankheiten unserer Entwicklungshilfe 73
2. Technische Hilfe und Bildungshilfe 76

3. Multilaterale Hilfe 80
4. Kapitalhilfe 83
5. Sonstige Hilfsformen 86
6. Privatinvestitionen 87

V. Aufgaben 94

1. Die Rolle der BRD 94
2. Orientierung an den Zielen der Entwicklungsländer 96
3. Entwicklungspolitik und Eigeninteressen 98
4. Das neue Konzept 104
5. Soziale Strukturen und Entwicklungspolitik ... 111
6. Im eigenen Land 116

VI. Wissen – Wollen – Können 120

1. Öffentliche Meinung 120
2. Neokolonialismus? 124
3. Der politische Spielraum 128

Anmerkungen 130

Ausgewählte Literatur 133

Vorwort

Dies ist nicht das Buch eines Wissenschaftlers, auch wenn darin einiges an wissenschaftlicher Literatur verarbeitet wurde. Dies ist auch nicht das Buch einer Verwaltung, eines Ministeriums, auch wenn ich einigen Mitarbeitern des Bundesministeriums für wirtschaftliche Zusammenarbeit, vor allem Gudrun Graichen-Drück, Lutz Bähr und Heinrich Dehn für Material, Anregungen und Kritik an dieser Stelle gerne meinen Dank abstatte.

Dies ist das Buch eines Politikers, der nicht nur analysieren, zur Klärung von Sachverhalten beitragen, sondern politisch wirken will.

Dieses Buch will Entwicklungspolitik darstellen als einen jener Bereiche, in denen sich entscheidet, ob wir die Zukunft bewältigen.

Wer dieses Buch aus der Hand legt mit dem Eindruck, daß die Chancen dafür nicht rosig seien, wird bei mir nicht auf Widerspruch stoßen.

Wer dieses Buch – etwas verwirrt – aus der Hand legt in dem Wunsch, mehr über diese verteufelt komplizierte Materie zu erfahren, hat meine volle Sympathie.

Wer dieses Buch aus der Hand legt, von Zweifeln geplagt, ob manche Maßstäbe unserer eigenen Gesellschaft noch stimmen, hat mich richtig verstanden.

Wer dieses Buch aus der Hand legt in der Absicht, trotz allem nicht zu resignieren, also etwas zu tun, rechtfertigt die Stunden des Schreibens, die anderer politischer Arbeit abgingen.

Im August 1971 — Erhard Eppler

Dekade der Gewalt?

Ostpakistan – Bengalen – das sind für Europäer Bilder des Schreckens: aufgeblähte Kinderleichen im Schlamm des abziehenden Hochwassers, erschossene Rikscha-Fahrer in Dacca, Choleraleichen auf der Straße. Was sagen dagegen Zahlen, die keiner sich vorstellen kann? Hunderttausend Tote – oder waren es dreimal soviel, die ertranken, fünfmal soviel, die im Gemetzel umkamen?
Das Echo aus Europa wird von einer Katastrophe zur anderen nicht leidenschaftlicher, sondern resignierter: ist das vielleicht eine Welt, wo Menschenleben weniger wert sind, wo dies alles dazugehört? Immerhin, wo die Toten auf der Straße liegen, regt sich auch Mitgefühl, ob es nun Hunger oder chinesische Infanteriemunition waren, die ihr Leben ausgelöscht haben. Und wo Millionen Menschen aus ihrer Heimat fliehen und im Morast der Lager gegen den Monsunregen kämpfen, wird Mitleid wach. Aber dieses Mitleid ist rasch wieder verflogen, denn es geht ja nur darum, eine ganz plötzlich, unversehens eingetretene Not zu lindern.
Im Falle Ostpakistans werden wir uns im Ernst nicht einreden können, daß dies alles unversehens kam und bald wieder vorbei sein wird. Hochwasser mag es anderswo auch geben. Aber Menschen können sich dagegen schützen, durch Dämme oder Flußregulierungen. Warum in Ostpakistan nicht? Und wenn die Flüchtlinge, die jetzt in Bengalen vegetieren, so rasch nicht zurückkehren wollen oder können? Was geschieht mit den indischen Entwicklungsplänen, wenn alle Energien in die dürftige Versorgung von sechs oder sieben Millionen bengalischer Flüchtlinge gesteckt werden müssen? Und was geschähe erst, wenn diese Menschen in das indische Wirtschaftsleben integriert werden müßten?
Sicher, man wird erst einmal nach den politischen Ursachen fragen, die zu dem bengalischen Desaster geführt haben. Und man wird jene Mischung aus Kurzsichtigkeit, Demagogie, verkrampftem Nationalismus und formalem Ordnungs-

denken schildern müssen, die dazu geführt haben, daß nun ein ganzer Subkontinent genau in dem Augenblick gelähmt wird, wo Inder und Pakistani in freien Wahlen noch einmal ihre Hoffnung auf eine bessere Zukunft demonstriert hatten.

Nein, so einfach es sein mag, mit den politischen Leidenschaften ins Gericht zu gehen, die in Pakistan hervorbrachen, so schwierig dürfte die Behauptung sein, sie seien von ungefähr gekommen. Schon lange vor der Katastrophe sprach man von der Notwendigkeit eines Sonderprogramms für Ostpakistan und Bengalen. Nur: woher sollte das Geld kommen?

In Ostpakistan leben in einem Gebiet halb so groß wie die Bundesrepublik 72 Millionen Menschen, also mehr als 1937 im Deutschen Reich. Von diesem Land sind zwei Drittel landwirtschaftlich nutzbar, aber diese Fläche wird wesentlich eingeschränkt durch die jährlich wiederkehrenden Überschwemmungen und Sturmfluten. Von den 72 Millionen, deren Pro-Kopf-Einkommen pro Jahr etwa halb so groß ist wie das durchschnittliche Monatseinkommen in der Bundesrepublik, leben im Schnitt 800 Menschen auf einem nutzbaren Quadratkilometer, an vielen Stellen sind es mehr als 1000. Sie vermehren sich jährlich um etwa drei Prozent; also ist mit der doppelten Zahl zu rechnen, ehe unser Jahrhundert zu Ende geht. Industrie gibt es wenig; vor allem wird Jute verarbeitet. 1961 zählte man zehn Millionen Erwerbstätige und über acht Millionen arbeitslose Männer. Für die sogenannte Infrastruktur wurde während der Kolonialzeit wenig, später wenig mehr getan, zumal das Flußdelta des Ganges und anderer Ströme zusätzliche Hindernisse bereiten.

Es kam wohl nicht von ungefähr, daß die Menschen in Ostpakistan nach einem Schuldigen zu suchen begannen und ihn in Gestalt der Zentralregierung in Rawalpindi zu finden glaubten. Und es war auch nicht so unverständlich, daß viele sich von einem unabhängigen Bangla Desh etwas erwarteten, was ihnen wahrscheinlich niemand bieten kann: eine bessere Zukunft. Wir können uns ausrechnen, wann in Ostpakistan 1500 oder gar 2000 Menschen von einem Quadrat-

kilometer leben wollen, die meisten von der Landwirtschaft. Und wir wissen auch, daß dies nicht geht, auch wenn nur noch philippinischer Reis und mexikanischer Weizen angepflanzt wird.
Nun sind viele Millionen, meist Hindus, nach dem indischen Bengalen geflüchtet. Aber dort sieht es nicht viel anders aus. Auf einem Gebiet von der Größe Österreichs leben 48 Millionen, also auch etwa 800 Menschen auf den Quadratkilometer. Und auch hier eine Zuwachsrate von mehr als drei Prozent. Hauptstadt von Bengalen ist Kalkutta, vielleicht die unerträglichste Anhäufung von Menschen – gegenwärtig sind es etwa acht Millionen – die dieser Globus kennt.
In dieses Bengalen strömen nun die Flüchtlinge aus Ostpakistan. Auch wenn ihre Angst vor den Truppen aus Westpakistan unbegründet wäre, die Angst vor dem Hunger ist es nicht, denn die Schiffe und Boote auf den Flußläufen Ostpakistans fahren nur spärlich und die Eisenbahn, die bisher 60 Prozent der Transporte besorgte, ist durch zerstörte Brücken lahmgelegt. Die Industrie liegt im Sommer 1971 zu 80 Prozent still, die Verwaltung funktioniert nicht, Steuern werden keine mehr eingezogen.
Was geschieht, wenn die Flüchtlinge nicht in absehbarer Zeit zurückkehren? Die indische Regierung wird – auch wenn das Ausland hilft – einen großen Teil der Mittel, die für Entwicklungspläne bereitgestellt waren, für die Versorgung der Flüchtlinge ausgeben müssen, und das in dem Augenblick, in dem die Inder warten, ob die Tochter Nehrus, der sie ihr Vertrauen noch einmal vor die Füße geworfen haben, einen Weg in eine bessere Zukunft weist. Und was geschieht in Indien, wenn Indira Ghandi nicht halten kann, was Hunderte von Millionen von ihr erwarten? Es gibt viele Circuli vitiosi in der Dritten Welt. Sollten die 70er Jahre noch einen weiteren hinzufügen: Verzweiflung führt zu Gewalt, Gewalt stört und zerstört den Aufbau und erzeugt noch mehr Verzweiflung?
Es gibt kluge Leute in der westlichen Welt, die dies wenig anficht: solche Katastrophen ließen sich lokalisieren, meinen sie, die Industrienationen störten sie nicht.
Abgesehen davon, daß es – nach Georges Bernanos – Dinge

gibt, bei denen sich schließlich der Magen umdreht, wenn sich das Gewissen nicht regt, ist die Rechnung reichlich unsicher. Was geschieht, wenn Indien einen Krieg mit Pakistan für billiger hält als den gegenwärtigen Zustand? Wer garantiert, daß dann die Volksrepublik China stillhält? Und wenn sie nicht zusieht?

I. Nichts spielt sich ein

1. Entwicklung?

Kaum ein Wort fließt uns leichter von der Zunge als das Wort Entwicklung. Dabei gibt es keinen Unterschied der Systeme oder Himmelsrichtungen. Erich Honecker benutzt es in seiner Rede vor dem VII. Parteitag der SED 95mal.[1]
Nicht nur Politiker kämen ins Stottern, könnte man ihnen dieses Wort plötzlich verbieten. Es ist bequem, paßt beinahe immer, klingt seriös und ein wenig optimistisch.
Das hängt mit seinem Ursprung zusammen. Noch im 17. Jahrhundert wurde Geschichte verstanden und gelehrt als Abfolge von Geschichten, Personen, Anekdoten, die sich allenfalls allegorisch deuten oder moralisch zensieren ließen. Erst um die Mitte des 18. Jahrhunderts wurde Geschichte verstanden als das Wachsen, Entfalten, Blühen und Verblühen von Kulturen und Nationen. Hier, bei Hamann und Herder, hat der Begriff »Entwickelung« seinen Ursprung.
Er drückt eine neue Entdeckung aus: Geschichte ist kein mechanischer Ablauf, keine Reihung von Einzelfakten, kein Kuriositätenkabinett, sondern etwas, was sich analog den Prozessen in der Natur vollzieht, wie ein Blatt sich aus der Knospe entwickelt.
Zu dieser Mischung aus Romantik und Aufklärung hat sich die Gleichgewichtsvorstellung des Liberalismus gesellt: das freie Spiel der sich – nach eigenen Zielen – entfaltenden Kräfte bewirkt und beschleunigt Entwicklung.
Hinter dem Wort Entwicklung steckt daher, auch wenn wir uns dessen nicht mehr bewußt sind, eine Geschichtsauffassung, die erst vor 200 Jahren entstand. Entwicklung birgt in sich die Vorstellung des Natürlichen, Organischen, Notwendigen, Vernünftigen, wohl auch des Fortschritts, der Entfaltung aus eigenem Ansatz. Dasselbe gilt übrigens auch für das französische développement und das englische development.[2]
Wo all dies offenbar nicht zutrifft, sprechen wir von Fehl-

entwicklung. Sie ist eine bedauerliche Abweichung vom Normalen, aber irgendwann – und dies steckt im Begriff der Entwicklung – wird sich dies wieder einspielen.
Wenn wir von Entwicklungsländern sprechen, so steckt in diesem Begriff mehr an Ideologie, als wir uns eingestehen. Jede Entwicklung hat ein Ziel, in diesem Fall wahrscheinlich jene Industriegesellschaft, die wir in der nördlichen Halbkugel an vielen Stellen geschaffen haben. Auf dieses Ziel sollen sich diese Länder stetig, möglichst ohne allzu große Eruptionen hinbewegen, entwickeln. Das ist nur natürlich, notwendig und damit auch vernünftig. Daß diese ideologische Prämisse fragwürdig sein könnte, beginnt uns langsam zu dämmern.
Dies beginnt beim Ziel: niemand kann sich ein Indien vorstellen, wo die 1000 Millionen Menschen, die um die nächste Jahrhundertwende dort leben dürften, mit 250 Millionen Personenautos durch die Gegend fahren. Das wäre westeuropäischer Standard. Im Augenblick gibt es in Indien eine halbe Million Autos, und diese reichen aus, die Luft in indischen Großstädten unerträglich zu machen. Natürlich wird Indien sich industrialisieren, aber eine Industriegesellschaft nach dem Modell der unseren von 1970 kann wohl nicht sein Ziel sein.
Noch mehr Zweifel regen sich, wenn wir den Weg zum Ziel betrachten. Für die meisten Länder der Dritten Welt stehen am Beginn des Prozesses, den wir Entwicklung nennen, Ereignisse, die mit natürlicher Entfaltung aus eigenem Ansatz nichts zu tun haben: die Vernichtung aller gewachsenen Strukturen, die Zerstörung eines gesellschaftlichen Gleichgewichts. Das bekannteste Beispiel ist das Reich der Inkas. Dort gab es ein gleichgewichtiges Verhältnis zwischen Mensch und bebautem Land« [3] ein wohlorganisiertes Gemeinwesen mit Formen sozialer Sicherung. Aber dies hat sich eben nicht entwickelt, es fiel den Konquistadoren zum Opfer. Das mag andernorts weniger spektakulär geschehen sein, die Organisationsformen mögen anderswo primitiver gewesen sein, der Eingriff der Europäer bedeutete aber immer zuerst den Bruch einer Entwicklung, die Zerstörung eines Gleichgewichts, die gewaltsame Einfügung in ein System der Weltwirtschaft, und

zwar meist in der klar umrissenen Rolle des Rohstofflieferanten.

Daraus ergaben sich die manchmal grotesk anmutenden Widersprüche zwischen Altem und Neuem, Autochthonem und Entlehntem, Symptomen des Beharrens und des Wandels«,[4] die jeden Besucher Afrikas oder Asiens verwirren können. Ein Gandhi mit Lendentuch, Spinnrad und Telefon war sicher nicht das Symbol einer organischen Entwicklung, sondern eines Volkes, das – aus der eigenen Bahn geworfen – einen neuen Weg sucht, eines Subkontinents, wo gesellschaftliche und institutionelle Statik mit der Dynamik von Technik und Wirtschaft zusammenprallt. Die meisten Entwicklungsländer zeichnen sich in der Tat dadurch aus, daß ihnen eine organische Entwicklung aus eigenem Ansatz und eigenen Triebkräften versagt blieb, daß sie Gegensätze in sich auszutragen haben, die sich aus dem Eingriff einer anderen Zivilisation ergeben haben, daß sie mühsam ein neues dynamisches Gleichgewicht (gelegentlich sogar ihre Identität) suchen müssen, nachdem das alte – wir wollen es nicht romantisch verklären – unwiderruflich zerstört ist.

Wie wenig hier von einer Entwicklung im strengen Wortsinn die Rede sein kann, zeigt die gefährliche Phasenverschiebung zwischen medizinischem und technischem Fortschritt. Der europäische Kolonialherr hat seine Errungenschaften keineswegs alle zur gleichen Zeit ins Land gebracht. Die Bekämpfung von Seuchen und Infektionskrankheiten war in der Dritten Welt erfolgreich, ehe es ernsthafte Ansätze zu einer Industrialisierung gab. Dies hat zu dem geführt, was man heute als »Bevölkerungsexplosion« zu bezeichnen pflegt. Nur gerät auch mit dieser Bezeichnung das Besondere dieses Vorgangs nicht in unser Blickfeld.

2. *Der Unterschied*

Eine rasche Vermehrung der Bevölkerung hat es auch im Europa der letzten 150 Jahre gegeben. Großbritannien hatte im Jahre 1900 nahezu viermal so viele Einwohner wie im Jahre 1800; auf dem Gebiet der Bundesrepublik Deutschland lebten im Jahre 1914 nahezu dreimal so viele Menschen wie 100 Jahre zuvor. Und das trotz Auswanderung von Millionen. Der Unterschied lag nur darin, daß dieses rapide Bevölkerungswachstum, das überwiegend durch eine geringere Kindersterblichkeit bei ungefähr gleichbleibender Geburtenrate zustande kam, in Europa einherging mit einer stürmischen Industrialisierung. Die Bauernkinder, die zusätzlich am Leben blieben, fanden schließlich einen Arbeitsplatz in der Industrie, einen miserablen meist, aber eben doch einen für die Gesamtwirtschaft produktiven. Der Wohlstand wuchs, soziale Sicherung sorgte dafür, daß Kinder nicht mehr als Alterssicherung angesehen wurden, Bildung erreichte immer breitere Schichten, und in unserem Jahrhundert konnte sich die Geburtenzahl ungefähr der gesunkenen Sterberate angleichen. Fast alle modernen Industriestaaten einschließlich der Sowjetunion und Japans weisen jene S-Kurve des Bevölkerungswachstums auf: kaum merklicher Anstieg bis zum Einsetzen der ersten industriellen Revolution, dann rasches Hochschnellen, nach etwa drei Generationen ein neues Abflachen.

Man mag darauf hinweisen, daß es auch in Asien einige Länder gibt, die schon an der oberen Kurve des S angelangt sind. In Singapur[5] betrug der Bevölkerungszuwachs noch 1960 3,4 Prozent, 1965 war er auf 2,5 Prozent und 1968 gar auf 1,6 Prozent abgesunken. In Korea wuchs die Bevölkerung noch 1960 um 2,9 Prozent, 1969 nur noch um 2,2 Prozent. Auch Taiwan hat durch gezielte Familienplanung Erstaunliches erreicht: 1955 und 1960 wurde ein Zuwachs von 3,7 Prozent registriert, 1967 nur noch von 2,6 Prozent. Zweifellos ein Erfolg, doch auch 2,6 Prozent sind eine hohe Zuwachsrate. Sie liegt über dem Durchschnitt von Südostasien (2,2 Prozent). In der Mehrzahl der Entwicklungsländer liegen die Dinge aber anders.

In den letzten Jahren wächst dort die Bevölkerung eher rascher als langsamer. Die Durchschnittszahl von 2,5 Prozent im Jahr für die 70er Jahre muß heute schon nach oben korrigiert werden. Es gibt keinen Grund anzunehmen, daß Länder wie Pakistan, Kenia oder Ecuador in absehbarer Zeit ein deutliches Abflachen der Bevölkerungskurve melden können, sogar dann, wenn für Familienplanung noch wesentlich mehr getan würde als heute. Wo das Bildungsniveau nicht steigen kann, die Zahl der Arbeitslosen eher zu- als abnimmt, wo der Wohlstand kaum wachsen kann, kann auch die Geburtenrate nicht sinken; und wo die Geburtenrate nicht gesenkt werden kann, läßt sich das Bildungsniveau nur mit äußerster Mühe erhöhen, die Arbeitslosigkeit nicht drosseln und der Wohlstand nur sehr langsam steigern.

In Afrika besuchten 1950 nur 8,8 Millionen Kinder eine Primarschule, 1966 waren es 27 Millionen. Auch in Lateinamerika und in Asien waren es 1966 mehr als doppelt so viele wie 1950.

Trotzdem liegt die Einschulungsquote in vielen Ländern nur bei 50 Prozent. Und von dieser Hälfte, die das erste Schuljahr beginnt, verläßt wiederum die Hälfte die Schule vor dem Ende des vierten Schuljahres. Die absolute Zahl der Analphabeten hat sich von 1960 bis 1970 von 740 Millionen auf 810 Millionen erhöht.

In Kolumbien stieg laut einer ausgezeichneten Studie der Internationalen Arbeitsorganisation (ILO) zwischen 1965 und 1970 das Angebot an Arbeitsplätzen um 2,3 Prozent jährlich. Die Erwerbsbevölkerung nahm aber um 3,2 Prozent im Jahr zu. Diese Erwerbsbevölkerung wird von 6,5 Millionen 1970 auf etwa elf Millionen 1985 steigen (die Kinder, die bis dahin nach Arbeitsplätzen verlangen, sind bereits geboren). Bei Fortsetzung der bisherigen Steigerungsrate stehen 1985 7 bis 7,5 Millionen Arbeitsplätze zur Verfügung. Drei bis vier Millionen werden arbeitslos sein. Dabei ist Kolumbien ein Land mit relativ hoher wirtschaftlicher Wachstumsrate (5,6 Prozent im Jahr). Es gibt Länder, in denen der Kampf gegen die Arbeitslosigkeit wesentlich schwieriger sein wird als in Kolumbien, schon weil die Grenze zwischen Unterbeschäftigung und Arbeitslosigkeit noch schwieriger zu bestimmen ist.

Die OECD schätzt die offene Arbeitslosigkeit in Entwicklungsländern auf etwa zehn Prozent im Durchschnitt. Nimmt man die »versteckte« Arbeitslosigkeit dazu, so gehen alle Berechnungen auf mindestens 20 Prozent. Eine von UN-Sachverständigen unter Leitung von Gunnar Myrdal im September 1969 vorgelegte Schätzung sagt voraus, daß »Arbeitslosigkeit und Unterbeschäftigung am Ende der kommenden Dekade leicht die Hälfte des Arbeitskräftepotentials der Entwicklungsländer treffen könnten, wenn dieses Problem nicht als solches angepackt wird«.[6]

Wenn einer der großen Forscher auf diesem Gebiet, Fritz Baade, von der Wohlstandsreserve und der Goldgrube[7] der Entwicklungsländer spricht, die in den Millionen brachliegenden Arbeitskräften schlummerten, wenn er empfiehlt: »Hunderte und Millionen von Arbeitskräften, die heute in der Landwirtschaft der Entwicklungsländer praktisch kein Sozialprodukt erzeugen, müssen mobilisiert, d. h. mit Arbeitsplätzen außerhalb der Landwirtschaft versehen werden«,[8] so mag jeder den erschreckenden Abstand zwischen dem theoretisch Einleuchtenden und dem praktisch Möglichen ermessen.

Etwas günstiger sieht es auf dem Gebiet der Ernährung aus. Sicher gibt die grüne Revolution eine faire Chance, die Produktion von Nahrungsmitteln in Entwicklungsländern noch rascher zu steigern als die Bevölkerung wächst.

Aber obwohl es in den letzten Jahren in allen Entwicklungsregionen gelungen ist, beträchtlich mehr Nahrungsmittel zu erzeugen, hat sich die Ernährung der Menschen nicht verbessert, sie hat sich zum Teil sogar verschlechtert (siehe Tabelle I). Von 1965 bis 1968 ist die Nahrungsmittelproduktion in Afrika jährlich im Durchschnitt um 2,2 Prozent gestiegen, pro Kopf der Bevölkerung hat sie sich jedoch jährlich um 0,3 Prozent verringert. Lateinamerika verzeichnete eine Produktionssteigerung um 2,8 Prozent, trotzdem verminderte sich die durchschnittlich zur Verfügung stehende Nahrungsmittelmenge um 0,1 Prozent. Der Ferne Osten und der Nahe Osten hatten bei einer jährlichen Steigerung von 2,6 bzw. 2,2 Prozent der Produktion ganze 0,1 Prozent Steigerung pro Kopf zu verzeichnen.

In einigen lateinamerikanischen und afrikanischen Ländern sieht es sehr viel schlechter aus. Wenn man für das Jahresmittel der Nahrungsmittelproduktion in den Jahren 1952 bis 1956 den Wert 100 ansetzt, so hatte sich in Dahomey die Produktion bis 1969 auf 123 Punkte gesteigert, umgerechnet

Tabelle I: Einzelne Länder

Jahresmittel von 1952–1956 gilt als 100

im Jahr 1969	Nahrungsmittel-produktion	Nahrungsmittel-produktion pro Kopf
Lateinamerika	151	99
Südamerika	148	98
Argentinien	124	96
Brasilien	180	91
Chile	131	91
Kolumbien	148	92
Paraguay	143	95
Peru	144	94
Venezuela	231	133
Nicaragua	158	98
Indonesien	137	97
Philippinen	155	95
Syrien	139	90
Afrika	138	96
Dahome	123	81
Guinea	136	88
Nigeria	127	81
Somalia	98	93
Kongo, Dem. Rep.	146	70
Ghana	176	118
Indien	145	104
Pakistan	154	100

Quelle: FAO Rom 1970: The State of Food and Agriculture 1970, S. 2, 232, 261, 262.

pro Kopf der Bevölkerung sank sie jedoch auf 81 Punkte ab. Ähnlich in Kolumbien: Steigerung der Produktion auf 148, Absinken der Menge pro Kopf auf 92. Besonders kraß Brasilien: Produktionssteigerung auf 180, Absinken der Pro-Kopf-Produktion auf 91.

Immerhin: der durch Wissenschaft und Technik bewirkte Fortschritt in der Landwirtschaft hat die Entwicklungsländer gerade noch rechtzeitig erreicht. Hungerkatastrophen sind keineswegs unvermeidlich.

Das Wachsen der großen Städte war auch in Europa ein schmerzhafter Prozeß. Was der Proletarier, der vom Land in die Stadt strömte, an Behausungen vorfand, mag man bei Engels oder Toqueville nachlesen. Trotzdem steht der Prozeß der Urbanisierung in den meisten Entwicklungsländern unter wesentlich ungünstigeren Vorzeichen. Die Großstadtbevölkerung Asiens hat von 1900 bis 1950 um 86 Millionen zugenommen. Das ist dieselbe Zahl, die 1900 auf der ganzen Welt in Großstädten wohnte. Dabei ist der Anteil der Großstadtbevölkerung an der Gesamtbevölkerung lediglich von 2,1 auf 7,5 Prozent angestiegen. Wenn, wie die UN annehmen, die Rate der Urbanisierung bis zur Jahrhundertwende konstant bleibt, wird es auf dem Globus in 30 Jahren etwa eine Milliarde neuer Stadtbewohner geben, also 10 000 Städte mit je 100 000 Einwohnern, gut drei Viertel davon in Entwicklungsländern.

Jedermann kennt die Sorgen der Stadtplaner in Europa und Nordamerika. Langsam setzt sich die Einsicht von John Kenneth Galbraith durch: »Die Stadt von heute ist eine unvorstellbar teure Sache.«[9] Die meisten Städte in der Dritten Welt sind aber schon heute nicht in der Lage, ihren Bewohnern auch nur ein Minimum der Dienstleistungen anzubieten, die wir für selbstverständlich halten, von Arbeit und Wohnung ganz zu schweigen.

Urbanisierung findet in Entwicklungsländern oft in Regionen statt, die wesentlich dichter besiedelt sind als das Deutschland des 19. Jahrhunderts. Die Städte müssen daher – auch wenn die Forderung von Baade nicht realisiert wird – sehr viel rascher wesentlich größere Menschenmassen aufnehmen. So könnte Urbanisierung sehr wohl zu einer weiteren Anhäufung

der Slums ohne Kanalisation und Straßennetz, ohne Hygiene und Abfallbeseitigung führen, wo die Menschen, die auf dem Lande keine Existenz mehr fanden, in den nackten Kampf ums Überleben gestoßen werden.
Auf die besorgte Frage, ob daraus nicht revolutionäre Strukturveränderungen entstehen könnten, würde ich antworten: Möglicherweise nicht einmal dies, sondern nur die Auflösung aller herkömmlichen Strukturen, eine amorphe Anhäufung von Elend und Kriminalität.

3. Konsumgesellschaft ohne Konsum?

Dies alles sei nicht geschrieben, um gute Bürger das Gruseln zu lehren. Es soll nur zeigen: von einer Entwicklung, einer Entfaltung aus eigenem Kern, die in sich natürlich und vernünftig wäre und sich daher früher oder später einspielt, kann hier nicht die Rede sein. Wo unterernährte, unterbeschäftigte Analphabeten in Hütten aus Stangen, Säcken und Pappe keine andere Chance haben, als noch mehr unterernährte, unterbeschäftigte Analphabeten in noch mehr Hütten aus Stangen, Säcken und Pappe hervorzubringen, geschieht nicht Entwicklung, sondern etwas anderes, wofür wir noch kein passendes Wort gefunden haben.
Die Zahlenspielereien, wie viele Menschen die Erde ernähren könne, helfen wenig, wenn schon die heute lebenden 3,8 Milliarden das Leben auf diesem Globus unerträglich machen könnten, wollten sie alle soviel Energie verbrauchen, soviel Abfall produzieren, soviel Luft und Wasser verunreinigen wie die Durchschnittsbürger der Vereinigten Staaten. Der Biochemiker H. R. Hulett vom Medical Center der Stanford Universität will sogar errechnet haben, daß, wenn man vom »present agricultural and industrial system of the world at US-levels of affluence« [10] ausgehe, der Globus nur eine Milliarde Menschen verkraften könne.
Paul und Anne Ehrlich kommen in ihrem »Bevölkerung – Hilfsquellen – Umwelt« betitelten Buch zu dem Schluß, die Erde sei »in the context of man's present patterns of behavior and level of technology« [11] bereits übervölkert.

Wie dem auch sei, die menschliche Gesellschaft ist kein riesiger, wohleingeteilter Kaninchenstall, wo jeder geduldig auf sein Futter wartet. Wer unsere Kinder, die gegen Ende ihres Lebens diesen Globus mit zehn, zwölf oder 14 Milliarden Menschen werden teilen müssen, mit dem Hinweis auf erstaunliche Möglichkeiten der Nahrungsmittelproduktion beruhigen will, sagt ihnen nur einen kleinen Teil der Wahrheit. Menschen leben weder von Brot noch von Wachstumsraten allein, sie wollen lernen, arbeiten, ein Dach über dem Kopf haben, mit Krankheiten fertig werden, frische Luft atmen und sauberes Wasser trinken, und sie sehen auf die Dauer auch nicht ein, daß ihnen vorenthalten bleiben soll, was andere haben.

Hier liegt ein weiterer Unterschied zu dem, was sich im Europa des 19. Jahrhunderts abgespielt hat. Der deutsche Arbeiter zur Zeit der Reichsgründung sehnte sich nicht nach Radio und Fernseher, auch nicht nach einem Auto oder einer Flugreise, nicht einmal nach Coca-Cola, ganz einfach, weil es all dies noch nicht gab. Es ist ein Unterschied, ob man auf Dinge verzichten muß, die man nicht kennt oder auf solche, zu deren Kauf man täglich ermuntert wird. Und wenn etwas bis in die Slums eindringt, so ist es die Reklame. Ich werde nie vergessen, wie ich am Rande einer Straße, die ein besonders tristes Elendsviertel einer lateinamerikanischen Millionenstadt durchschnitt, auf einem riesigen Plakat die tröstliche Mitteilung lesen konnte, daß die Flüge nach Tokio nun billiger geworden seien. Dies mag ein besonders groteskes Beispiel sein. Aber auch die Ankündigungen, daß ein bestimmtes Waschmittel noch weißer wäscht oder daß noch ein neues Kühlschrankmodell auf Käufer warte, klingen wie Hohn für die vielen, die sich kaum Kernseife beschaffen können. Eine Gesellschaft des allgemeinen Mangels läßt sich leichter ertragen als eine Konsumgesellschaft ohne Konsum. Der riesige Abstand zwischen immer neu geweckten Erwartungen und den wirtschaftlichen Möglichkeiten ist ein weiteres Zeichen dafür, daß hier alles vorliegt, nur keine Entwicklung.

Soziale Spannungen gehören zu jeder Gesellschaft, um so mehr, je dynamischer sie ist. Selten findet eine neue Form der

Produktion auch die adäquaten sozialen und politischen Strukturen vor.
Es waren nicht nur Sozialisten, sondern auch bürgerliche Liberale, die um die Jahrhundertwende darüber klagten, daß der Industriestaat des deutschen Kaiserreiches von einer agrarisch-feudalen Schicht regiert wurde. In Ländern, wo die entscheidenden Ansätze zur Veränderung der Produktion von außen kommen, können solche Spannungen noch wesentlich schärfer werden. Die Wahrscheinlichkeit, daß sich immer wieder ein gewaltloser Ausgleich, eine evolutionäre Veränderung finden läßt, dürfte in manchen Entwicklungsländern um einiges geringer sein als im Westeuropa der letzten 150 Jahre. Wo, wie in Lateinamerika, jener von Max Weber beschriebene Typ des Unternehmers fehlt, der aus kalvinistischer Tradition heraus Fleiß, Erwerbssinn und persönliche Bedürfnislosigkeit verband, wird eine freie Marktwirtschaft andere Ergebnisse haben als in Großbritannien oder Holland. Und dies ist nur einer von vielen Unterschieden.
Was auch der eine oder andere immer bei uns wünschen mag, wir sollten davon ausgehen, daß auch im sozialen Bereich eine kontinuierliche Entwicklung in vielen Ländern weniger wahrscheinlich ist als die dramatische und gelegentlich auch gewaltsame Entladung von Spannungen.
Wo immer wir ansetzen, wir werden zu demselben Ergebnis kommen: In der Dritten Welt hat der weiße Mann etwas in Gang gesetzt, was mit dem Begriff Entwicklung nicht getroffen, sondern verharmlost wird. Die Fortschreibung und Fortsetzung dessen, was war und was ist, ergibt noch lange keine Zukunft. Nichts spielt sich ein.
Dies ist die erschreckende Erkenntnis, die sich heute aufdrängt, nicht nur im Blick auf die Dritte Welt, wohl aber an keiner anderen Stelle mit größerer Dramatik. Es bedarf eines geplanten, gezielten, gemeinsamen, international abgestimmten Eingreifens, wenn der Kurs noch rechtzeitig korrigiert werden soll. Die Dritte Welt hat nicht mehr viel Zeit.

II. Ziele

1. Aufholen?

Daß unter diesem Aspekt der Begriff »Entwicklungshilfe« den Blick auf die Wirklichkeit eher verstellt als öffnet, liegt auf der Hand. Sicher hat es keinen Sinn, gegen eine international geläufige Terminologie anzugehen, aber wir sollten wenigstens wissen, daß wir sie benützen – faute de mieux –, obwohl sie mehr als fragwürdig ist. Bei den meisten Entwicklungsländern geht es eben nicht darum, einem natürlichen Entwicklungsprozeß noch etwas nachzuhelfen, ihn zu beschleunigen, sondern darum, anstelle eines unwiderruflich zerstörten gesellschaftlichen, ökonomischen und demographischen Gleichgewichts ein neues, dynamisches Gleichgewicht zu suchen.

Häufig wird als Ziel der »Entwicklungshilfe« genannt – und auch ich habe dies getan – die Entwicklungsländer müßten »aufholen«, der Abstand im Pro-Kopf-Einkommen zwischen Industrieländern und Entwicklungsländern müsse reduziert werden. Ist dies realistisch?

Daß allein im Jahre 1970 die reale Zunahme des Pro-Kopf-Einkommens in der BRD größer war als das, was die Hälfte der Erdbevölkerung als ihr Pro-Kopf-Einkommen buchen kann, mag wie Zahlenspielerei klingen. Aussagekräftiger sind sicher die Zahlen, die von Kahn und Wiehner[12] vorgelegt wurden.

Nach Tabelle II war das Pro-Kopf-Einkommen in Europa 1965 etwa zehnmal größer als in Afrika, 1975 wird es gut elfmal größer sein, 1985 wird es das Vierzehnfache betragen, im Jahr 2000 knapp das Achtzehnfache und 2020 schon mehr als das Fünfundzwanzigfache. Besser sind danach die Aussichten für Asien, aber auch dort wird das Verhältnis im Jahr 2000 noch ungünstiger sein als 1965, 2020 soll eine Relation von eins zu sieben erreicht sein, während Lateinamerika bis dahin auch relativ noch ungünstiger stehen wird als 1965.

Es gibt gute Gründe, solche Berechnungen mit Vorsicht zu genießen. Ich gehe davon aus, daß die ökonomischen Wachstumsraten in den Industrieländern sich in dem Maße reduzieren werden, wie die Einsicht um sich greift, die Gustav Heinemann so formuliert hat: »Die bloße Steigerung wirtschaftlicher Wachstumsraten . . . ist kein erstrebenswertes Ziel, wenn sie zu Lasten der körperlichen und seelischen Gesundheit erkauft werden.«[13]

Tabelle II: Bruttosozialprodukt pro Kopf der Bevölkerung
(in US-Dollar des Jahres 1965

	1965	1975	1985	2000	2020
Afrika	141	174	209	277	407
Asien	152	214	308	577	1 436
Europa *	1 369	1 976	2 867	5 055	10 730
Ozeanien **	2 000	2 510	3 080	4 310	6 600
Nordamerika	2 632	3 403	4 329	6 255	10 280
Südamerika	357	413	496	695	1 112
Welt	632	825	1 085	1 700	3 180

* Europa – Europäische OECD-Länder und die des Warschauer Paktes, die ganze Sowjetunion ist eingeschlossen.
** Ozeanien: Australien und Neuseeland.

Und auch bei den Entwicklungsländern bleiben eine Menge unsicherer Faktoren, z. B. das Bevölkerungswachstum. Trotzdem: von einem Aufholen kann bislang und in naher Zukunft nur bei wenigen Entwicklungsländern die Rede sein.[14] Auch innerhalb der Dritten Welt finden sich die größten Wachstumsraten in den Gebieten, die am weitesten industrialisiert sind. Die größten und wichtigsten Entwicklungsländer: Indien, Pakistan, Indonesien, fast der ganze afrikanische und der größte Teil des lateinamerikanischen Kontinents gehören nicht dazu.

Auch wenn es gelingen sollte, die im Strategiedokument der Vereinten Nationen vorgegebene Wachstumsrate von durchschnittlich sechs Prozent für das Bruttosozialprodukt zu erreichen, bleiben bei einem Bevölkerungswachstum von etwa 2,7 Prozent wenig mehr als drei Prozent für das Pro-Kopf-Einkommen übrig. Nach allen Schätzungen ist damit zu rechnen, daß das Pro-Kopf-Einkommen in Industrieländern in den 70er Jahren rascher zunimmt als in Entwicklungsländern.

Dabei wird es den indischen oder marokkanischen Bauern – auch denen in Nordostbrasilien – wenig nützen, wenn im Raum São Paulo oder Mexico City jene enormen Wachstumsraten erzielt werden, die eine solche Durchschnittszahl ermöglichen. A. P. Thirwall hat aufgrund von einigermaßen realistischen Annahmen und Ausgangsdaten zu errechnen versucht, wann die einzelnen Länder der Dritten Welt wohl aufgeholt haben würden. Dabei kam er zu grotesken Ergebnissen: Peru könnte die EWG im Pro-Kopf-Einkommen in 359 Jahren, Uganda schon in 356 Jahren einholen, bei Pakistan würde es allerdings 1356 Jahre dauern.

Ob es um das Jahr 3325 noch Pakistan geben wird, sei dahingestellt. Daß man dann Fortschritt nicht mehr am wirtschaftlichen Wachstum messen wird, scheint mir sicher. Sollte es dann noch Historiker geben, die solche Berechnungen ausgraben, so wird es sie erheitern, wie Menschen einer Epoche ihre Maßstäbe – die es drei Generationen vorher noch nicht gegeben hatte – ungeniert auf die ferne Zukunft projizierten.

Die Vorstellung vom Aufholen ergibt sich folgerichtig aus dem Begriff der »Entwicklungshilfe«. Wenn es nur darum geht, eine in sich vernünftige Entwicklung zu beschleunigen, auf ein Ziel hin, das wir schon erreicht haben, so geht es in der Tat um ein Aufholen, um das Schließen einer Lücke.

Dazu kommt die falsche Analogie zum Marshall-Plan. Mit den Geldern des Marshall-Plans wurde tatsächlich ein Prozeß beschleunigt, der nach dem Zweiten Weltkrieg in jedem Fall und in derselben Richtung in Gang gekommen wäre. Westeuropa hat tatsächlich aufgeholt. Insofern war der Marshall-Plan im strengen Sinn Entwicklungshilfe. Wäre, besonders in

den USA, von Anfang an klar gewesen, daß in den Ländern der Dritten Welt eine grundverschiedene Aufgabe vorlag, so wäre den Amerikanern – und nicht nur ihnen – manche Enttäuschung erspart geblieben, eine Enttäuschung, die sich an den Budget-Zahlen für Auslandshilfe von der Mitte der 60er Jahre an ablesen läßt.
Wer das Aufholen zum Ziel der Entwicklungspolitik erhebt, wird sich immer wieder seine Erfolglosigkeit nachrechnen lassen müssen. Auch hier stehen wir vor der verwirrenden Tatsache, daß Zahlen uns zeigen, wie die scheinbar einfachste, plausibelste, pragmatischste Zielsetzung auch die illusionärste sein kann.

2. Selbsttragendes Wachstum?

Ist das Konzept des »self-sustaining growth«, des selbsttragenden Wachstums realistischer? Es besagt, daß jedes Land einmal den Punkt erreichen muß, von dem aus das wirtschaftliche Wachstum sich selbst trägt, sich aus seiner eigenen Dynamik weiter fortsetzt, ohne daß andere Mittel als die des üblichen Handels- und Kapitalverkehrs eingesetzt werden müßten.[15]
Für ein solches Ziel spricht die Erfahrung, daß den Armen eine spürbare und ständige Verbesserung der eigenen Lebensbedingungen mehr bedeuten kann als der Abstand zum Lebensstil der Reichen. Das gilt verstärkt, wenn dieser Fortschritt aus eigener Kraft kommt.
Die Praxis zeigt jedoch die Schwächen dieses Konzepts. Kleinere Länder und Teile größerer Länder (z. B. Panama und der Staat São Paulo) weisen oft hohe Wachstumsraten aufgrund günstiger Startpositionen auf, werden sogar so attraktiv, daß sie ärmeren Regionen noch Kapital und Fachkräfte entziehen können. Aber kein Mechanismus sorgt dafür, daß weitere Regionen nachgezogen werden (z. B. Nordostbrasilien). Die Nachzügler haben es vielmehr um so schwerer, je später sie anfangen: Die Welt steht nicht still, die »Anschlußzüge« werden verpaßt. Industrialisierung stockt oft nach Anfangserfolgen wieder im rauhen Wetter des technologischen Fortschritts und des Wettbewerbs auf den Weltmärkten. So

erging es etwa Argentinien, dessen Ausgangsposition nach dem Zweiten Weltkrieg für ein rasches Wachstum aus eigener Kraft hätte genügen müssen.
Der sinkende Anteil der Entwicklungsländer am Welthandel, die Konzentration ihres bescheidenen Wachstums auf wenige Regionen und ihre zunehmende Verschuldung sprechen nicht dafür, daß viele den Punkt des »take-off« bald erreichen. Dieser Punkt verschiebt sich vielmehr wie eine Fata Morgana. Die Durststrecke wird immer wieder verlängert.
Solange Strukturmängel innerhalb der Entwicklungsländer und ihre Schwäche auf den Weltmärkten fortbestehen, bleibt »self-sustaining-growth« für die meisten Länder ein Wunschtraum. Wenn dieses rein wirtschaftliche Ziel aber nicht zu einem vorstellbaren Zeitpunkt zu erreichen ist, werden die Menschen in den Entwicklungsländern kaum bereit sein, auf unbestimmte Zeit dafür Opfer zu bringen.

3. Was verkraftet die Umwelt?

Bei alledem bleibt die Frage offen, ob eine Industrialisierung der Entwicklungsländer nach europäischem oder amerikanischem Vorbild überhaupt möglich ist. Es ist verständlich, daß die Umwelt-Diskussion in den westlichen Industrieländern bei Politikern der südlichen Halbkugel Argwohn erregt: Sollte dies nur ein Trick sein, von den Sorgen der Dritten Welt abzulenken? Oder sucht man gar nach einem Vorwand, der Dritten Welt den Weg zum Wohlstand zu versperren, damit man ihn selbst um so unbeschwerter genießen kann? Auf jeden Fall hat man in Bombay oder in Lima andere – zugegeben – dringendere Sorgen als die Abgase der Autos oder die Spätfolgen der DDT-Spritzungen.
Dies alles ändert nichts daran, daß die Entwicklungsländer schon heute ihre Umweltprobleme haben: die Bodenerosion und die Versteppung, die in Westafrika oder auf Sumatra dem rücksichtslosen Holzeinschlag folgen, die Luft über São Paulo oder das Wasser des Hooghly, das durch Kalkutta fließt. Tatsächlich könnten die Entwicklungsländer gerade

wegen ihres Klimas und wegen der rasanten Urbanisierung besonders verwundbar sein.
Das ökologische Gleichgewicht ist in den Tropen verletzlicher als in Europa. Fachleute, die zum Beispiel bei der Vereinigung deutscher Wissenschaftler dem Thema Entwicklung und Umwelt nachgehen, stellten fest, daß in der Elfenbeinküste nach der Anwendung von DDT die Mückenplage zunahm, weil die Vögel vernichtet waren, die Mücken jedoch resistente Mutationen hervorbrachten. Je schneller die Generationsfolge, desto rascher bilden sich resistente Organismen. Je höher die Temperatur, desto geringer der Sauerstoffgehalt der Luft, desto gefährlicher die Luftverschmutzung.
Die Luft in Mexico City ist unerträglicher als die in Frankfurt, wer mehr als eine halbe Stunde zu Fuß geht, muß sich in acht nehmen, daß ihm die Augen nicht tränen.
Eineinhalb Autostunden weiter nördlich gruben im Jahr 1970 Hunderte von Indios einen Kanal, der ihr dürres, mit einer dichten Staubschicht bedecktes Land bewässern soll, und zwar mit agua negra, dem schwarzen Wasser aus der Kanalisation der Großstadt. Dieses Wasser mag gleichzeitig willkommener Dünger sein. Aber große weiße Schaumwolken auf der schwarzen Brühe zeigen an, daß dieses Land, wenn es zum erstenmal unter den Pflug kommt, auch die Giftstoffe aufnimmt, die eine moderne Großstadt heute absondert. Hier könnte sehr wohl ein neuer Circulus vitiosus in Gang gesetzt werden, der von Paul und Anne Ehrlich so beschrieben wird: »Mit dem Anwachsen der Bevölkerung steigt auch das Ausmaß an Industrien, die eine stattliche Menge an Verseuchungsstoffen in unsere Wasserreservoire schütten: Blei, Waschmittel, Schwefelsäure, Fluorwasserstoffsäure, Phenole (Karbolsäure), Äther, Benzol, Ammonium und so weiter. Mit dem Anwachsen von Bevölkerung und Industrie steigt auch der Bedarf an landwirtschaftlicher Produktion; das wiederum führt zu einer noch schwereren, vom Wasser getragenen Last an Insekten- und Unkrautvertilgungsmitteln sowie an Nitraten. Das Ergebnis ist die Ausbreitung von Verschmutzung nicht nur in Bächen, Flüssen, Seen und an Meeresküsten, sondern auch (und zwar besonders besorgniserregend) im Grundwasser, in dem eine Reinigung nahezu unmöglich ist. Hand in Hand mit

der Verschmutzung geht die Bedrohung durch Leber- und Ruhrepidemien und die Vergiftung durch fremde Chemikalien.« [16]
Auch wenn wir hier eher am Anfang als am Ende ernsthafter Forschung stehen, soviel ist sicher: Wie die Finanzen eines Entwicklungslandes ausreichen sollen, weite Gebiete aus nahezu steinzeitlichen Lebensformen herauszuführen und gleichzeitig die gefährlichen Folgen moderner Industrialisierung in Ballungszentren zu beseitigen, weiß niemand. Es könnte durchaus geschehen, daß solche Ballungszentren ihre Wachstumsraten zur eigenen Sanierung brauchen.
Die Länder der Dritten Welt werden bald einsehen, daß es unklug ist, sich fremden Industrieunternehmen als »Umweltoasen anzubieten, denen die Vorschriften ihrer Heimatländer lästig fallen.
Aber die Grenzen, die von der Biosphäre gesetzt werden, sind wohl noch enger. Wenn es z. B. stimmt, daß durch Verbrennung von Mineralbrennstoffen bis in 20 Jahren der Kohlendioxydgehalt der Luft um etwa 18 Prozent gestiegen sein wird, wenn eine – wenn auch geringe – Temperaturerhöhung auf unserem Planeten die Folge ist, dann mag man ausrechnen, was geschehen müßte, wenn in 60 Jahren eine dreifache Zahl von Erdbewohnern die Energie verbrauchen wollte, die heute ein Bürger der USA für sich in Anspruch nimmt, vorausgesetzt, daß – was sehr unwahrscheinlich ist – soviel Verbrennungsenergie überhaupt zur Verfügung steht.
Schon ehe im Juni 1972 die Umweltkonferenz der Vereinten Nationen in Stockholm darüber genaueres Material liefern wird, läßt sich sagen:

1. Eine Industrialisierung der sogenannten Entwicklungsländer streng nach dem Vorbild Europas oder der USA müßte nicht nur das biologische Gleichgewicht auf dem Globus im ganzen gefährden, es würde – und wahrscheinlich früher – das Leben in einer Reihe dieser Länder selbst unerträglich machen.
2. Dies kann natürlich nicht bedeuten, daß die Industrialisierung der Dritten Welt deshalb gestoppt oder verhindert werden müßte, wohl aber, daß dort von Anfang an nach Technologien gesucht werden muß, die einer Verschmutzung oder Zerstörung der Umwelt entgegenwirken.

3. Dies wird sich auswirken müssen in der Verkehrsplanung (das Personenauto wird sicher nicht dieselbe Bedeutung bekommen wie in Europa), in der Energieversorgung (vielleicht wird die Atomenergie trotz allem weniger Gefahren mit sich bringen als andere Energiequellen), in Methoden, Gesetzen und Auflagen für eine Industrialisierung, die zeitweilig teuer erscheinen mögen, durch die aber Hunderte von Milliarden gespart werden können, die heute in den Industrieländern nachträglich investiert werden müssen.
4. Wo Opfer und Einschränkungen im Interesse aller nötig werden, können sie sich nicht auf eine Gruppe von Ländern beschränken.
5. Sehr rasch werden die Industrieländer einsehen müssen, daß Hilfe für die Dritte Welt und Umweltschutz keine konkurrierende Alternativen sind, sondern zwei Aspekte jener Anstrengung sind, die von uns verlangt wird, wenn wir das Raumschiff Erde bewohnbar halten wollen. Dazu wird es neuer Formen internationaler Beziehungen bedürfen.

4. Bedürfnisse

Wenn also das Aufholen, der Anschluß an die Lebens- und Produktionsformen der Industrieländer, für die meisten Entwicklungsländer weder möglich noch wünschenswert ist, was kann dann das Ziel jenes Prozesses sein, den wir – faute de mieux – Entwicklung, und jener Aktivität, die wir faute de mieux – Entwicklungshilfe nennen?
Wie soll diesen Ländern, die ihr altes Gleichgewicht verloren haben, auf den Weg eines neuen, dynamischen Gleichgewichts geholfen werden? Wer auf diese Frage eine rundum befriedigende Antwort erwartet, wird auch in diesem Buch enttäuscht werden. Es gibt die umfassende, narrensichere Antwort noch nicht einmal in der Theorie, erst recht nicht in Dokumenten, die sich orientieren müssen am praktisch Durchsetzbaren. Das Strategiepapier der Vereinten Nationen vom Oktober 1970, in zweijähriger Vorarbeit mühsam ausgehan-

delt, weist in die richtige Richtung, aber eine Strategie sagt noch nichts darüber aus, wer schließlich gewinnen wird, die Strategen oder ihre Widersacher, in unserem Fall jene Zirkel des Unheils, die im ersten Kapitel dieses Buches beschrieben werden.

Es gibt kein Patentrezept, aber es gibt durchdachte Konzepte. Und das ist mehr als vor einigen Jahren. Wie setzen sie an?

Zuerst negativ, indem sie den Maßstab des wirtschaftlichen Wachstums relativieren. Wirtschaftliches Wachstum ist nötig, aber eher als Nebenprodukt und grober Indikator denn als Ziel. (Daß den Entwicklungsländern dieser Schluß nur zumutbar ist, wenn wir in den Industrieländern – aus scheinbar verschiedenen Gründen – zu einem ähnlichen Ergebnis kommen, liegt in der Logik unserer Argumentation.)

Sodann positiv, indem solche Konzepte schlicht feststellen, daß nichts anderes übrig bleibt, als von den Grundbedürfnissen der Menschen auszugehen.

Ich möchte in diesem Zusammenhang Ivan Illich zustimmen, auch wenn mir manche seiner Schlußfolgerungen nicht einleuchten: „Die einzige mögliche Antwort auf die ständig wachsende Unterentwicklung der Dritten Welt ist die Befriedigung der dort vorliegenden Grundbedürfnisse und nicht die Befriedigung jener Bedürfnisse, die aus Industrieländern dorthin importiert werden.« [17]

Sicher liegt es nicht in der Hand einer Bundesregierung, welche Bedürfnisse in die Länder der Dritten Welt importiert werden; sicher werden die Bedürfnisse auch von Land zu Land variieren, sicher ist es auch nicht unsere Sache, anderer Leute Bedürfnisse zu definieren, aber die Diskussion um die Strategie der zweiten Entwicklungsdekade hat gezeigt, daß es durchaus möglich ist, sich über einige Grundbedürfnisse zu verständigen. In Ziffer 3 des von den Vereinten Nationen beschlossenen Strategiepapiers heißt es: »Oft sind diese Menschen immer noch unterernährt, ohne Schulbildung und ohne Arbeit ...«

Damit sind die drei Grundbedürfnisse genannt, die überall wiederkehren, bei den Planungen der Weltbank, in den Vier- oder Fünfjahresplänen vieler Länder, auch im Konzept der

Bundesregierung vom 11. Februar 1971: Beschäftigung, Ernährung, Bildung. Daß die Menschen in der Dritten Welt darüber hinaus eine große Zahl materieller und immaterieller Bedürfnisse haben, versteht sich von selbst: einigermaßen menschliches Wohnen – und dies ist nicht nur eine Frage der individuellen Wohnung –, eine Chance zur Erhaltung oder Wiederherstellung der Gesundheit, soziale Integration und eine Einkommensverteilung, die nicht allen Vorstellungen von Gerechtigkeit Hohn spricht.

Dabei geht es auch hier nicht um Angleichung; ordentliche Ernährung am Kongo braucht nicht dasselbe zu sein wie in Europa. (Die Propagierung tiefgefrorener Hähnchen aus Deutschland im Kuweit/Hilton mag im Interesse der deutschen Landwirtschaft liegen, weniger in dem der arabischen Küche.) Bildung in der Dritten Welt kann sicher nicht – vielleicht muß man sagen: nicht länger – in der Imitation der Bildungseinrichtungen und Inhalte des europäischen 19. Jahrhunderts bestehen, zumal wir über deren Nützlichkeit für uns selbst Zweifel bekommen haben. Beschäftigung in Entwicklungsländern wird für weitaus die meisten Menschen auf lange Zeit nicht einen Arbeitsplatz bedeuten, der Investitionen von 50 000,– oder 100 000,– DM kostet. (200 Millionen Arbeitsplätze zu je 50 000,– DM würden die astronomische Summe von 10 000 Milliarden DM kosten.) Wohnung in der südlichen Erdhälfte wird – schon aus Gründen des Klimas – weniger aufwendig sein als in Schweden oder Kanada. Gesundheitsfürsorge wird nicht bedeuten können, daß für jeden ein erstklassiger Chirurg oder ein Krankenhaus mit den letzten Errungenschaften der medizinischen Technik bereit steht.

In alldem wird jedes Land seinen eigenen Weg finden müssen, und es wird sicher nicht einfach unser Weg sein können. Wir sind nicht aufgefordert, unsere Lebensweise, unsere Produktionsformen, unsere politischen oder gesellschaftlichen Strukturen zu exportieren, sondern anderen zu helfen, ihre eigenen zu finden. Daß sich diese Einsicht erst im Laufe der Ersten Dekade durchzusetzen begann, hat sicher dazu beigetragen, daß wir in der Zweiten Dekade vor so drückenden Aufgaben stehen.

5. *Dekadenziele*

Es gehört wenig Phantasie zu der Voraussage, daß, wenn die Zweite Dekade so abläuft, wie sie begonnen hat, wir zu Beginn der Dritten vor noch dramatischeren Alternativen als heute stehen dürften. Das erste Jahr der Zweiten Dekade ist kein Jahr besonderer Anstrengungen der Industrieländer geworden – einige kleinere Länder z. B. Skandinaviens ausgenommen –, es hat wichtige Entwicklungsländer wie Pakistan und Ceylon weiter zurückgeworfen, es hat auf dem Gebiet der Zollpräferenzen sichtbare, aber keineswegs spektakuläre Fortschritte gebracht. Insgesamt war es weniger geprägt durch raschen wirtschaftlichen Fortschritt als durch Ungeduld und Gewalt. Die Möglichkeit ist nicht von der Hand zu weisen, daß das zweite Entwicklungsjahrzehnt in wichtigen Ländern weniger gekennzeichnet sein wird von raschem Aufschwung als von Enttäuschung, Verbitterung, Unrast und Gewalt, wobei völlig offen ist, ob solche Gewalt zur Veränderung, zur Verkrustung oder einfach zur Auflösung politischer und sozialer Strukturen führt.

Daher scheint es ratsam, ein präzises und scheinbar bescheidenes Nahziel für die Zweite Dekade zu setzen: Wenn es in den 70er Jahren gelingt, Erziehung, Beschäftigung, Ernährung, Behausung, Gesundheitsdienst und soziale Sicherung so zu verbessern, daß in den 80er Jahren sichtbare Erfolge in der Familienplanung möglich werden, so ist die Zweite Dekade erfolgreich gewesen. Dann ist der Zirkel des Elends an der entscheidenden Stelle durchbrochen. Dabei wird es nicht darum gehen, irgend jemandem Familienplanung aufzuzwingen oder aufzudrängen, wohl aber darum, möglichst viele Familien instand zu setzen, selbst über die Zahl ihrer Kinder zu entscheiden. Dann erst bekommt die Dritte Dekade ihre Chance.

Dadurch sollte nicht Familienplanung an die Stelle von Entwicklungshilfe treten oder gar zum Zweck der Entwicklungshilfe erhoben werden. Aber Familienplanung ist in vielen Ländern unerläßlich, wenn etwas in Gang kommen soll, was den Namen Entwicklung verdient. Wie es eine unheilvolle Wechselwirkung gibt zwischen Geburtenrate und

Elend, so muß es auch eine Wechselwirkung geben zwischen Familienplanung und der Überwindung von Elend. Die Zeit reicht nicht aus, abzuwarten, bis eine sehr langsame – und immer häufiger durch politische Wirren unterbrochene – Zunahme des allgemeinen Wohlstandes die Geburtenrate senkt. Also muß Familienplanung möglich und wirksam werden, ehe Pakistan oder Indonesien den Lebensstandard des Deutschland der 20er Jahre erreicht haben. Dazu bedarf es vorerst weniger der Pillen oder anderer antikonzeptioneller Mittel, sondern der Mobilisierung von Menschen durch Erziehung und Beschäftigung, eines Mindestmaßes an sozialer Infrastruktur und sozialer Sicherung. Wem es um die Befriedigung menschlicher Grundbedürfnisse geht, der muß sich vorerst auf das konzentrieren, was die Menschen von dem Zwang befreit, immer mehr Kinder in eine immer weniger erfreuliche Zukunft hineinwachsen zu lassen.

Aber auch dieses scheinbar bescheidene Ziel verlangt mehr Anstrengungen, als sie in den Budgets der wichtigsten Entwicklungsländer und in den Finanzplanungen der großen Industrieländer vorgesehen sind. Das Ziel von 0,7 Prozent des Bruttosozialprodukts an öffentlicher Hilfe war bei Pearson ein Minimalziel. Wenn es für die großen Industrieländer ein unerreichbares Maximalziel bleiben sollte, so werden wir schon vor Beginn der Dritten Dekade in der einen oder anderen Form ein Mehrfaches dafür zu bezahlen haben.

Aber es geht nicht nur um Budgetansätze. Die Sorge um die Dritte Welt muß eine Dimension unserer Gesamtpolitik werden, der Kulturpolitik (was bedeutet die Dritte Welt in unsern Schulen?) ebenso wie der Handelspolitik (wie weit müssen wir gehen bei Zollabbau für Waren aus Entwicklungsländern?), der Strukturpolitik (was geschieht mit den Textilarbeitern, die ihren Beruf wechseln müssen?) ebenso wie der Wissenschaftspolitik (wie lassen sich adäquate Technologien für die Dritte Welt finden?), der Agrarpolitik (wie lange kann es sich die EWG leisten, jährlich eine Million Tonnen ihres teuren Rübenzuckers auf den geringeren Weltmarktpreis herabzusubventionieren, damit er in Konkurrenz gegen den Rohrzucker der Entwicklungsländer abgesetzt werden kann?), ebenso wie der Verkehrspolitik (wie lassen sich Verkehrssysteme entwerfen, die eine Chance haben, die rapide wachsenden Ballungszentren in den Entwicklungsländern vor dem totalen Verkehrschaos zu bewahren?), der Sicherheitspolitik (was würde eine Erosion der politischen Strukturen des indischen Subkontinents für das militärische Gleichgewicht in Asien und darüber hinaus bedeuten?). Daß Umweltschutz schon gar nicht mehr geplant werden kann ohne den Blick auf die Dritte Welt, haben wir gesehen.

Bei alledem werden die internationalen Beziehungen ihre Qualität verändern, es fragt sich nur, ob dies rasch genug geschieht. Ich habe einmal – in Anlehnung an C. F. v. Weizsäcker – Entwicklungspolitik als einen Ansatz zur Weltinnenpolitik bezeichnet. Manche hielten dies für eine idyllische Vorstellung. Dabei geht es um den brutalen Zwang der Fakten, der uns keine andere Wahl lassen wird, als neue Formen für die Austragung von Interessengegensätzen, neue Formen internationaler Kooperation zu suchen.

Der niederländische Minister für Zusammenarbeit mit den Entwicklungsländern, B. J. Udink, ein Mann eher konservativen Zuschnitts, hat das bei einem Vortrag vor dem Wiener Institut für Entwicklungsfragen im Juni 1970 so formuliert: »Die große Veränderung, die sich in unserer Zeit vollzieht, die Mutation unserer gesamten Zivilisation, ist die Integration, die strukturelle Vereinigung der Welt zu einer unteilbaren wirtschaftlichen und gesellschaftlichen Interessengemeinschaft.« Man kann es auch so formulieren: Wir werden auf immer mehr Probleme stoßen, die den ganzen Globus betreffen und die nur noch global angepackt werden können. Wir werden jedes Jahr unerbittlicher mit der Nase darauf gestoßen werden, daß das Raumschiff Erde eine Einheit ist. Das gilt nicht nur, wo es um die Zukunft der Dritten Welt geht, aber dort wird es besonders deutlich.

Dadurch wird die Welt nicht schöner und einfacher, sondern komplizierter und gefährlicher. Es geht nicht um die Suche nach der heilen Welt, wohl aber um die Verhinderung einer radikal unheilen, unheilvollen und möglicherweise unheilbaren.

III. Ansatzpunkte

1. Familienplanung

Wenn der gegenwärtige Trend nicht in den 80er Jahren gebrochen wird, dürfte gegen Ende dieses Jahrhunderts die Menschheit alle zehn Jahre um eine Milliarde wachsen, zu Beginn des nächsten würden dazu nur noch acht Jahre nötig sein. Es ist keineswegs ausgeschlossen, daß Kinder, die heute geboren werden, noch eine Erde erleben werden, auf der 15 Milliarden Menschen leben wollen. Wollte man die gegenwärtigen Zuwachsraten fortschreiben, so müßten die Enkel dieser Kinder die Erde mit 60 Milliarden Menschen teilen.

Man sagt uns, dies sei unwahrscheinlich, und dies ist es wohl auch. Nur: von selbst wird die Geburtenrate so rasch nicht sinken. Wir haben gesehen: Wo Beschäftigung, Bildung und Ernährung nicht besser werden, sinkt der Geburtenüberschuß nicht. Und weil er nicht sinkt, können die heranwachsenden Millionen kaum besser ausgebildet oder ernährt und nur in Ausnahmefällen produktiv beschäftigt werden.

Auch dort, wo es noch dünn besiedelte Flächen gibt, wie in vielen Ländern Afrikas und Lateinamerikas, kann Übervölkerung herrschen, denn die Zahl der Menschen, die auf einem Stück Land leben können, hängt von Infrastruktur, Kapital und verfügbarer Technik ab.

Es gibt Stimmen aus Lateinamerika und Afrika, Familienplanung sei nur eine besonders raffinierte Erfindung der Industrienationen, um die farbigen Völker in Zahl und Einfluß zu beschränken oder gar auszurotten.

Tatsächlich wird manchmal Familienplanung gefordert, als wäre sie ein Allheilmittel und könnte uns allen Ärger, vor allem die Entwicklungshilfe, ersparen. In Wirklichkeit kann Familienplanung ohnehin nur als Teil der Mobilisierung einer Gesellschaft wirksam werden.

Die meisten Maßnahmen der Familienplanung, seien sie vernünftig oder nicht, greifen erst, wenn das schlimmste Elend überwunden ist. Ohne bessere Bildung, proteinreichere Ernährung, mehr Arbeitsplätze und eine bessere medizinische Versorgung wird Familienplanung ins Leere laufen. Und sie kann oft gar nicht angepackt werden, wo eine antiquierte Sozialstruktur schon die offene Diskussion des Themas erschwert. Daß es ohne Familienplanung nicht mehr geht, spricht sich herum. Daß es mit Familienplanung allein auch nicht geht, liegt auf der Hand. Niemand wird so töricht sein, einer Regierung Hilfe bei der Familienplanung aufzudrängen, wenn sie nicht will. Aber es mag durchaus nützlich sein, anhand demographischer Studien zu zeigen, was die gegenwärtige Geburtenrate für das Erziehungssystem oder die Beschäftigung in einem Land bedeutet.

Die Behauptung, daß die Menschen in der Dritten Welt viele Kinder haben wollen, ist nur teilweise wahr. In der Tat gibt es Gesellschaften, wo nach wie vor die Zahl der Söhne den Wert der Frau bestimmt.

Wo es keinerlei Sicherung gibt, kann es höchst vernünftig sein, viele Kinder zu haben. Dann steigt nämlich die Chance, daß wenigstens eines oder zwei überleben und eines Tages auch Geld verdienen, um ihre Eltern im Alter zu ernähren. Trotzdem schätzt man in Indien jährlich drei Millionen Abtreibungen, in Lateinamerika prozentual noch wesentlich mehr (in einem Land Lateinamerikas sollen auf eine Geburt drei Abtreibungen kommen).

Auch in der Dritten Welt hätten die meisten Mütter lieber wenige gesunde Kinder als eine zahlreiche Nachkommenschaft, die sie nicht ausreichend versorgen können, falls man sie vor diese Wahl stellte. Es geht nicht darum, Geburten um jeden Preis zu verhindern, wohl aber darum, den Familien die Chance einer verantwortbaren Kinderzahl zu geben.

In Entwicklungsländern gehen durchschnittlich 60 Prozent aller Familienplanung vom Staat aus, in Indien sogar 87 Prozent. 1960 gab es drei Länder, die wenigstens auf dem Papier ein Programm der Familienplanung hatten. 1970 gab es Programme in 25 Ländern, die zusammen zwei Drittel der Bevölkerung der Entwicklungsländer umfassen. In anderen Ländern drückt die Regierung beide Augen zu, wenn private Organisationen tätig werden. Wo Programme beschlossen sind, fehlt es oft an dem Organisationsnetz, das den betroffenen Teil der Bevölkerung wirklich erreichen könnte. In Ceylon und Taiwan können 95 Prozent der Paare erreicht werden, die beraten werden sollen, in Pakistan immerhin 75 Prozent, in Tunesien und im Iran 40 Prozent, in Indonesien nur 10 Prozent.

Wo die Geburtenzahl verringert werden soll, genügt es nicht, die bestehenden Programme zu verbessern und auszuweiten, die Berater besser auszubilden, die Zahl der Hospitäler zu vermehren, die Methoden der Aufklärung zu modernisieren. Schwierigkeiten sind zu überwinden, die in der kulturellen und religiösen Tradition oder auch in der Konkurrenz und dem Argwohn zwischen einzelnen Stämmen oder Staaten ihre Wurzel haben. Häufig fehlt es auch am Geld, obwohl findige Ökonomen errechnet haben, daß jede verhinderte Geburt eine Ersparnis von Investitionen im Sozial-, Bildungs- und Beschäftigungsbereich bedeutet, die mindestens zwei Jahreseinkommen entspricht. Das Cost-Benefit-Verhältnis bei der Familienplanung liegt zwischen 1 : 10 und 1 : 30. Das klingt reichlich brutal, aber es ist nicht brutaler als die Wirklichkeit in Kalkutta oder Lima.

Theoretiker gehen so weit, Sondersteuern für allzu viele Kinder vorzuschlagen, eine Methode, welche die zulässige Grenze der Brutalität wohl überschreitet. In Pakistan verlieren heute schon Eltern ihre Steuerermäßigung, wenn der Staat meint, sie hätten zu viele Kinder. In Singapur kostet die Entbindung im staatlichen Hospital vom vierten Kind an mehr.

Was in Singapur wirken mag, hätte in Indien kaum einen Sinn, ganz einfach, weil nur in fortgeschritteneren Ländern die Kinder im staatlichen Hospital zur Welt kommen.

Es erstaunt nicht, daß die Entwicklungsländer, die ihre Geburtenziffer merklich reduzieren konnten, zu den fortgeschrittensten gehören. In diesen Ländern hat übrigens ein höheres Heiratsalter mindestens soviel beigetragen wie die Maßnahmen zur Empfängnisverhütung.

Insgesamt aber sind die Erfolge der Familienplanung bisher recht bescheiden. Eine Untersuchung der OECD sieht Anhaltspunkte dafür, daß 1968 durch alle Programme zusammen

etwa 2,3 Millionen Geburten verhindert worden seien. Das bedeutet, daß ohne Familienplanung die durchschnittliche Geburtenrate in der Dritten Welt bei etwa 45 statt bei 43,8 von Tausend gelegen hätte.
Tatsächlich ist ein ideales Empfängnisverhütungsmittel, das allgemeine medizinische und ethische Anerkennung gefunden hätte, noch nicht gefunden worden. Es müßte einfach, narrensicher, ohne schädliche Nebenwirkungen und überdies billig sein. In der Dritten Welt dürften vorerst durch Abtreibung und Sterilisation mehr Geburten verhindert werden als durch alle Verhütungsmittel zusammengenommen.
Ein Idealmittel wird es so schnell nicht geben. Aber es ist durchaus möglich, daß intensive Forschung Methoden findet, die den Preis an körperlichen und psychischen Schäden verringern. Schon heute ist er geringer als der Preis, den die Menschheit für ein uferloses Wachstum zu bezahlen hat.
Wer sich, wie z. B. die Bevölkerungskommission der UN, mit Familienplanung befaßt, wird sich hüten, ehrgeizige Ziele zu setzen. Ich sehe nicht die leiseste Chance, bis zum Jahre 2000 den Bevölkerungszuwachs auf Null zu reduzieren, jedenfalls nicht in Entwicklungsländern. Aber wenn wir uns vornehmen, die Zuwachsrate in den nächsten 20 Jahren um 1 Prozent zu drücken, also auf etwa 1,5 Prozent (in Lateinamerika von etwa 3,5 auf 2,5 Prozent im Jahr), so braucht dies nicht unrealistisch zu sein, auch dann nicht, wenn die Sterberate weiter sinkt und die Zahl der gebärfähigen Frauen rapide wächst.
Ob dies gelingt, wird in anderen Bereichen entschieden, z. B. in der Erziehung.

2. *Erziehung*

Die Menschen in Entwicklungsländern wissen, daß sie lernen müssen. Sie begreifen sich zunehmend als lernende Gesellschaften, in denen Erziehung zum Synonym für menschliche Entwicklung schlechthin wird.
Vor vier Jahren schrieb der Präsident von Tansania, Julius Nyerere, einen Bericht zum Thema »Education for Self-

Reliance«. Er und viele andere, meint Nyerere, hätten immer wieder »mehr Erziehung« für die Kinder des Landes gefordert. Aber er habe doch Zweifel, ob dies ausreiche. Und er fährt fort: »Es ist jetzt Zeit, darüber nachzudenken, ob es gerechtfertigt ist, daß eine arme Gesellschaft wie die unsere beinahe 20 Prozent der öffentlichen Einnahmen für die Erziehung ihrer Kinder und jungen Leute ausgibt, und sich zu überlegen, wozu diese Erziehung gut sei. Denn in unseren Verhältnissen ist es unmöglich, 147 Millionen Schilling auf die Erziehung einiger unserer Kinder zu verwenden (während andere leer ausgehen), wenn das Ergebnis nicht eine angemessene Bedeutung hat für die Gesellschaft, die wir aufzubauen versuchen.« [18]

Ähnliche Überlegungen werden heute in vielen Entwicklungsländern angestellt. Dort wird mit Recht gefragt, ob ein Bildungssystem für sie angemessen sei, das in einer ganz anderen Gesellschaft, in einem ganz anderen Kulturkreis entstanden und das sogar dort nicht mehr unangefochten ist.

Die Kritik Nyereres am Schulsystem seines Landes klingt uns bekannt. Erstens gewährleiste dieses System »im Grunde eine Erziehung für eine Elite, die nur den Bedürfnissen eines sehr kleinen Teiles derer entgegenkommt, die diese Schulen besuchen«. [19] Die Grundschulen seien vor allem darauf abgestellt, Schüler für die Sekundarschule zu liefern, aber 87 Prozent sähen nie eine Sekundarschule. Das führe dann dazu, daß die restlichen 13 Prozent später mit einem »feeling of superiority« herumliefen und ein recht beachtliches Gehalt als selbstverständlich beanspruchten.

Daher empfiehlt Nyerere ein Bildungssystem, das an die Arbeitswelt der großen Mehrheit anknüpft, z. B. die Schulfarm. Eine Erziehung, die Kinder ihrer Arbeitswelt entfremdet oder sie gar auf diese Arbeitswelt blasiert herabblicken läßt, kann verheerende Folgen haben. (In einer Gesellschaft, wo ein Facharbeiterdiplom etwas sehr Seltenes und Begehrtes ist, kann es sehr wohl vorkommen, daß sein Besitzer vom »White-Collar«-Komplex erfaßt wird und glaubt, er müsse von nun an eben das nicht tun, was er gelernt hat.)

In der internationalen Diskussion über Erziehung wird zwischen dem »social demand« und dem »manpower approach«

unterschieden. »Social demand« besagt, daß das Erziehungssystem diejenige Ausbildung anzubieten habe, die von der Bevölkerung verlangt wird; »manpower«, daß es die Arbeitskräfte zur Verfügung stellen solle, die in der Wirtschaft und Gesellschaft gebraucht werden. Die Erfüllung des »social demand« hat in den Entwicklungsländern zur kostspieligen Ausdehnung des formalen Schulwesens geführt. Fast überall ist das Prinzip der generellen kostenlosen Primarerziehung politischer Programmpunkt geworden. Trotz rascher Ausweitung des Schulsystems kann die Nachfrage nach Erziehung nur sehr beschränkt befriedigt werden. Die Schülerzahlen steigen, aber das Bevölkerungswachstum sorgt dafür, daß der relative Schulbesuch nur unerheblich zunimmt.

In vielen Entwicklungsländern verschlingt ein meist schlecht angepaßtes Erziehungssystem, das nur einen Teil der Bevölkerung erfassen kann, bis zu einem Viertel des öffentlichen Haushalts und bis zu fünf Prozent des Bruttosozialprodukts. Wo eine vorwiegend literarisch-philosophische Bildung tradiert wird, technische und naturwissenschaftliche Fächer dagegen vernachlässigt werden, ist der Beitrag zum wirtschaftlichen Fortschritt gering. Schlimmer ist noch, daß auch die Lerninhalte oft ohne jede Beziehung zu den Notwendigkeiten des Entwicklungslandes sind.

Erziehung kann und muß einen Beitrag dazu leisten, verkrustete Sozial- und Denkstrukturen aufzubrechen, Menschen zu mobilisieren und zu dynamisieren, Gruppen zu solidarisieren und staatsbürgerliches Bewußtsein zu schaffen. Maßnahmen im Erziehungssektor können nicht einseitig am wirtschaftlichen Wachstum orientiert sein, sie müssen immer auf ihre beabsichtigten sozialen Auswirkungen untersucht werden. Erziehungspolitik verlangt daher nicht nur technokratischen Fachverstand, sondern immer auch Mut zur politischen Wertung.

Statt soziale Integration hervorzubringen, verschärft das beschränkte Erziehungsangebot in vielen Entwicklungsländern soziale Konflikte. Wer keine Chance hatte, eine Schule zu besuchen, ist gegenüber dem anderen, auch dem vorzeitigen Abgänger, im Nachteil. Dieser wiederum hat weder Spezialkenntnisse noch berufliche Fertigkeiten. Arbeitslose Schulentlassene führen eine ungesicherte Existenz am Rande der Großstädte. Das Potential, das in ihrer Ausbildung steckt, wird in den Frustrationen eines verschärften Generationenkonfliktes vertan.

Unseren Anteil an alledem sollten wir nicht leugnen. Sicher hat Ivan Illich recht, wenn er den Kolonialmächten vorwirft, sie hätten den heutigen Entwicklungsländern Bildungsinhalte und Lehrmethoden hinterlassen, die an den Erziehungszielen des europäischen 19. Jahrhunderts ausgerichtet sind, die theorieorientierte und autoritätsgeprägte Lernschule. Absolventen elitärer Schulen, die weder schöpferische Eigeninitiative noch technische Fähigkeiten vermitteln, sind in der Tat oft für vernünftige Arbeit verdorben. Ivan Illich fordert daher »Entschulung«, die Abschaffung dieser unnützen Schulen, die nur einem Teil der Bevölkerung offenstünden und so Klassenstrukturen auf besonders infame Weise verfestigten. Schulpflicht und Berechtigungswesen täuschten vor, daß jeder den Platz in der Gesellschaft erhalte, der ihm nach seiner Leistung zustehe.

»Für die armen Nationen ist die Schulpflicht ein Denkmal einer selbst auferlegten Inferiorität.« [20]

Die Alternative zur unrationellen und teueren allgemeinen Schule lautet nach Illich außerschulische Ausbildung von Jugendlichen und Erwachsenen in wichtigen Fertigkeiten, die sie im Alltag brauchen. Hier kann ich Illich nicht folgen. Ich glaube nicht, daß es möglich sein wird, Schule durch Arbeitswelt zu ersetzen. Möglich und nötig ist, die Arbeitswelt in die Schule und die Schule zur Arbeitswelt zu bringen. Ich finde Nyereres Programm der Schulfarmen hier realistischer. Trotzdem haben die Gedanken Illichs die internationale Diskussion befruchtet, und manches davon findet sich wieder in der »life long integrated education« – der lebenslangen umfassenden Erziehung – von der die UNESCO spricht.

Danach geschieht Erziehung nicht mehr nur in einer Institution und in einem begrenzten Lebensabschnitt, an dessen Ende der Erzogene feierlich in das Leben entlassen wird.

Erziehung ist »nicht mehr das Privileg einer Elite oder Sache einer bestimmten Altersgruppe; immer mehr neigt sie dazu, die ganze Gesellschaft und das ganze Leben des einzelnen zu umfassen. Das heißt, daß sie immerwährend und allgegenwärtig sein muß. Sie darf nicht mehr bloß als Lebensvorbereitung, sondern muß vielmehr als ein Lebensbereich angesehen werden, der sich durch eine ständige Erweiterung des Wissens und eine unaufhörliche Überprüfung der Vorstellungen auszeichnet.«[21]

»Life-long education« kann für viele Entwicklungsländer vorerst nicht heißen, daß alle Kinder ein formales Schulsystem durchlaufen. Es gilt, für diejenigen, die vom formalen Schulsystem nicht oder nur mangelhaft erfaßt wurden, Alternativen auszuarbeiten. Dafür werden die Entwicklungsländer *eigene* Modelle entwickeln müssen, denn für ein Mischsystem aus einem formalen Erziehungswesen und unterschiedlichen Jugend- und Erwachsenenbildungsprogrammen gibt es bisher keine Beispiele.

Um die vielen Millionen, die keine Chance haben, eine reguläre Schule zu besuchen, nicht am Rande stehen zu lassen, ist das Angebot von nichtformaler Erziehung unerläßlich. Sie kann oft weitere Kreise erfassen als eine Ausdehnung der Einschulungsquote. Analysen der sozialen Umwelt und der Beschäftigungslage müssen ergeben, ob intensive Kurzkurse in einer bestimmten Technik der Lebensbewältigung, längerfristige Programme oder »on-the-job-training« – Ausbildung am Arbeitsplatz – angemessen sind. Auch Alphabetisierungsmaßnahmen können dazu gehören, wenn die Voraussetzungen für »life-long-reading« – lebenslanges Lesen – gegeben sind. Nur wenn das Gelehrte den tatsächlichen Bedürfnissen der Lernenden entspricht, wenn die Erziehung »funktional« ist, wird ihre Motivation und damit der Erfolg hoch sein.

Die Forderung eines Bezuges zwischen Lehrstoff und Lebenswirklichkeit stellt sich auch für das formale Schulwesen. »Funktionalität«, zuerst für außerschulische Grunderziehung postuliert, muß für jegliche Erziehungsmaßnahmen gelten. Wenn sie nicht funktional ist in bezug auf die Erfordernisse der Gesellschaft, ist sie verfehlt. Dies wird zur Veränderung von Lehrplänen und Schulabschlüssen zwingen. Gelingt es, den Bildungswunsch der Bevölkerung in die Richtung von lebenslangem funktionalem Lernen zu lenken, eröffnet sich vielleicht die Aussicht, den Konflikt der Erziehungspolitiker

zu entschärfen, zwischen Nachfrage nach Erziehung und Aufnahmefähigkeit des Arbeitsmarktes entscheiden zu müssen.
Bildungshilfe macht zur Zeit etwa zehn Prozent der Erziehungsausgaben der Entwicklungsländer aus. Der quantitative Beitrag der Auslandshilfe zu einem adäquaten Erziehungssystem wird also nur marginal sein können. Wo es aber um Forschung über Methoden und Organisationsformen geht, die zu einer Mobilisierung der Bevölkerung führen, können von den Industrieländern wichtige Anstöße ausgehen.
Es geht darum, den Entwicklungsländern zu helfen, mit dem Erbe fertig zu werden, das wir ihnen hinterlassen haben.

3. Mobilisierung der Selbsthilfe

»So könnte eine Gruppe von Dörfern gemeinsam eine eigene Wartungsstation für landwirtschaftliche Geräte und Fahrzeuge einrichten; sie könnten vielleicht ihre Kochgeräte und Geschirr aus einheimischen Materialien herstellen oder die Anfertigung ihrer Kleider auf kommunaler Basis organisieren. Solche Dörfer können sich auch zusammentun, um bestimmte soziale, politische und erzieherische Ziele zu erreichen und somit ihren in ländlichen Gebieten lebenden Mitgliedern einige der Vorteile bieten, die sich aus einem Gemeinschaftsleben ergeben. Aber all diese Dinge müßten von den Dorfmitgliedern selbst demokratisch entschieden werden.«
»Auf diese Art und Weise würden alle Vorteile der traditionellen afrikanischen Demokratie, soziale Sicherheit und menschliche Würde, wiederhergestellt und gleichzeitig hätten wir uns darauf vorbereitet, aus den modernen Erkenntnissen und den daraus erwachsenden Vorteilen Nutzen zu ziehen.«[22]
So hat Julius Nyerere 1967 das Bild des Ujamaa-Dorfes gezeichnet.
Tatsächlich können die Menschen der Entwicklungsländer mit dem wenigen, worüber sie verfügen, viel unternehmen. Sie können gemeinsam einen Brunnen graben, eine Straße oder Schule bauen, sie können genossenschaftlich günstiger einkau-

fen oder gemeinsam einen besseren Preis für ihre Früchte erzielen.
Das ist aber etwas Neues für Menschen, die jahrhundertelang Krankheit und Not als etwas Selbstverständliches erlitten haben. Noch nehmen viele ihr Schicksal als unabänderlich oder gottgewollt hin. Es fehlt ihnen die Kraft und das Wissen, um gegen wiederkehrende Katastrophen, gegen Dürre oder Überschwemmungen anzugehen.
Von allein werden unterernährte oder gar kranke Menschen, die keine produktive Tätigkeit haben, selten aus ihrer Lethargie herausfinden. Sie brauchen geistige Anstöße und materielle Unterstützung, um Ungewohntes anzufangen, überkommene Vorurteile aufzugeben.
Wo bisher Fortschritt nicht vorstellbar war, bedeutet Selbsthilfe eine Revolution des Denkens. Selbsthilfe kann beträchtliche wirtschaftliche Verbesserungen bewirken. Aber Mobilisierung von Menschen ist auch ein Zweck an sich: wo Menschen wissen, daß sie ihr Dasein verändern können, gewinnt ihr Leben eine neue Qualität, an die Stelle der Resignation tritt Hoffnung.
Sogar in den Elendsvierteln der Großstädte gibt es nicht nur »Slums der Resignation«, sondern auch »Slums der Hoffnung«. Da leben Menschen, die Mut und Initiative aufbrachten, ihre vertraute Umgebung zu verlassen, um in der Stadt ihr Glück zu suchen; statt dessen finden sie allzuoft Schmutz, Krankheit und Kriminalität. Aber manche von ihnen gründen Selbsthilfeorganisationen, spontan oder mit behördlicher Förderung.
Ein Beispiel: Guatemala City. Von den gut 600 000 Einwohnern leben 100 000 in den Elendsvierteln, genauer gesagt: in 87 Slums vegetieren jeweils zwischen 200 und 10 000 Menschen, und jedes Jahr wächst die Zahl, in Einzelfällen um 20 Prozent. Auf den Plantagen der Großgrundbesitzer verdrängen Maschinen die Menschen. In Guatemala City wohnen jetzt viele von ihnen in Schluchten am Rande der Stadt, wo es nicht nur keine Abwässerbeseitigung gibt, sondern wohin die Abwässer der Stadt geleitet werden. Elektrischen Strom gibt es nur an einigen Stellen, Trinkwasser ist knapp. Keine Polizeistationen, keine medizinischen Einrichtungen,

keine Schulen. Die Kinder haben theoretisch die Möglichkeit, außerhalb der Elendskolonie staatliche Schulen zu besuchen. Aber nur die Hälfte geht zur Schule. Nahezu ein Drittel aller lebend geborenen Kinder stirbt im ersten Lebensjahr, weitere 18 Prozent ehe sie fünf Jahre alt sind. Die Eltern schlagen sich durch als Losverkäufer oder Prostituierte. Geregelte Arbeit ist selten. Weil sie keine Arbeit haben, haben sie kein Geld, bekommen die Kinder keine Ausbildung und damit auch keine richtige Arbeit. Und das ist nicht der einzige Circulus vitiosus.

Hier, in diesen Vierteln, entstand der »Hilfs- und Beratungsdienst« für die »pobladores«, wie man dort die Einwohner der Slums nennt. Die Idee entstand nicht in Guatemala, sondern in Chile, aus der Diskussion eines Instituts, das mit Misereor in Aachen in Kontakt steht. Trotzdem wird diese Arbeit durchweg von Einheimischen geleistet, nur gelegentlich helfen ein paar Ausländer mit, die anderswo in Guatemala arbeiten.

Nach einer genauen Bestandsaufnahme im Jahre 1966 wurde die »Central de Servicios« nach Absprache mit Misereor 1967 gegründet. Personal: zwei Genossenschaftsfachleute, zwei Assistenten, ein Sozialarbeiter, eine Hauswirtschaftslehrerin, ein Rechtsanwalt mit einem Assistenten. Sie wollten den Bewohnern von fünf Kolonien zeigen, wie sie sich helfen könnten. »Komitees für die Verbesserung« entstanden und schlossen sich zu einem »Movimiento nacional de pobladores« zusammen. Und diese Organisation sorgte dafür, daß die Arbeit nicht abglitt in paternalistische Bevormundung durch edelmütige Helfer.

Die Bilanz bis 1970: 228 Kurse wurden abgehalten, elf Konsumgenossenschaftsläden eingerichtet, 49 Klubs gegründet, neue Wasserstellen eingerichtet, Abwässeranlagen gebaut. Die Menschen haben begonnen, hygienischer zu leben, etwas mehr zu verdienen.

Weiße Salbe? Sozialklimbim? Wahrscheinlich, wenn nicht auch das Bewußtsein der Menschen verändert worden wäre. Sie haben gespürt, daß das, was ist, nicht unbedingt sein muß. Wahrscheinlich wird sich das Projekt irgendwann einmal totlaufen, wenn in der Gesamtgesellschaft alles beim alten bleibt. Aber kann alles beim alten bleiben, wenn Menschen begreifen, daß man die Verhältnisse ändern kann? Wo Menschen mobilisiert werden, geschieht Entwicklung.

Ein anderes Beispiel: die Cooperación Popular in Peru. Die Regierung Belaúnde hatte sich verpflichtet, den Dörfern des Hochlandes durch billige Kredite und ausgebildete Techniker in dem Maße zu helfen, wie sie sich selbst helfen konnten. Die Bundesregierung entsandte 1967 eine Gruppe von 18 Fachleuten, vor allem Ingenieure, mit ein paar einfachen Baufahrzeugen und Baumaschinen, die im Andenhochland verstreut mit den Indios arbeiteten. Nach ihren Konstruktionszeichnungen sind seither unter Anleitung der Alcalden mit Schaufel, Hacke und Schubkarren 19 Wasserversorgungen für 19 400 Menschen gebaut worden, 31 einfache Straßen von 354 Kilometer Länge, 97 einfache Bewässerungskanäle für 14 460 Hektar Land, und weit mehr Straßen und Kanäle sind im Bau oder in der Planung.

Niemand kann genau sagen, wie viele Schulen inzwischen gebaut wurden, aber es gibt heute kaum mehr eine Gemeinde im peruanischen Hochland ohne Schule und Sanitätsstation. Und wenn noch nicht alle benutzbar sind, so liegt es daran, daß die Regierung in Lima nicht genug Lehrer und Sanitäter schicken kann.

Nach dem Militärputsch 1968 änderte sich der Name der Organisation, nicht die Sache. Als ich 1969 Peru besuchte, bat die Regierung um Agrarberater. Inzwischen sind acht deutsche Landwirte ausgereist, die mit den Hochlandbauern zusammen die Agrarproduktion steigern wollen. Sie werden bescheiden auftreten müssen, denn Menschen, die gelernt haben, sich selbst zu helfen, haben auch ein Selbstbewußtsein, das Berater nur erträgt, wenn sie nicht mehr sein wollen als Berater.

4. Technologie

Was in Entwicklungsländern an Technologie angewandt wird, ist in doppelter Weise inadäquat: weder *wie* produziert wird noch *was* produziert wird, stimmt mit den Grundbedürfnissen der Menschen überein.

Die Industrieländer sind in den letzten zwei Jahrhunderten von arbeitsintensiven zu immer kapitalintensiveren Produktionsverfahren übergegangen. Die Maschine hat den Menschen immer mehr Arbeiten, darunter viele unangenehme und körperlich schwere, abgenommen. Zugleich erhöhte sich die Produktivität der Arbeit. Die Technik der Industrieländer geht davon aus, daß der Produktionsfaktor Arbeit knapper ist als der Produktionsfaktor Kapital. Mit dieser Technik sind die Entwicklungsländer heute konfrontiert. Aber bei ihnen ist es umgekehrt: der Produktionsfaktor Kapital ist knapp, der Produktionsfaktor Arbeit reichlich vorhanden.
Noch die Hitlerschen Autobahnen wurden mit Schaufel und Schubkarren gebaut. Heute verschulden sich Entwicklungsländer, um mit modernen Baumaschinen Straßen für importierte Autos zu bauen. Hohe Kapitalkosten pro Arbeitsplatz setzen Reichtum voraus. Die Entwicklungsländer haben ihn nicht, er wird durch solche Produktionsweisen eher verhindert, denn damit können niemals die Millionen Arbeitslosen produktiv beschäftigt werden.
Auch eine Senkung der Geburtenrate könnte in absehbarer Zeit die Arbeitslosenquote nur geringfügig reduzieren, denn die Menschen, die bis 1985 Arbeit suchen, sind schon geboren. Wenn Abhilfe geschaffen werden soll, müssen die Entwicklungsländer völlig neue Wege der Produktion und damit auch der Wirtschaftsplanung finden. Schon Mahatma Gandhi hat gesehen, daß nicht Massenproduktion, sondern Produktion durch die Massen sein Land weiterbringen könnte. Dies ist leichter gesagt als getan. Daß unsere Technologie nicht einfach übertragbar ist, leuchtet vielen ein. Aber wie soll die Technologie der Entwicklungsländer aussehen?
Der Pearson-Bericht spricht von »Frontier Technology«, das Internationale Arbeitsamt (ILO) von »Appropriate Technology«. Häufig wird auch der von E. F. Schumacher geprägte Ausdruck »Intermediate Technology« gebraucht. Schumacher leitet eine Arbeitsgruppe dieses Namens in London. Er spricht auch von »Self Help Technology« und meint damit Methoden zur Herstellung einfacher und billiger lebensnotwendiger Güter. Zweifellos können in ländlichen Gegenden wie in der Stadt die Menschen zur Selbsthilfe greifen und Güter für

ihren Eigenbedarf herstellen. Doch auch in die Massenproduktion müssen Elemente der Selbsthilfe eingeführt werden. Unter Umständen ist handwerkliche Heimarbeit einer modernen Fabrik vorzuziehen.
Überlegungen, die Schumacher im September 1964 (!) niedergeschrieben hat, hätten es wohl verdient, stärker beachtet zu werden.[23] Schumacher unterscheidet eine den Entwicklungsländern angemessene 100-Pfund-Technologie von der in den Industrieländern üblichen 1000-Pfund-Technologie. Er geht davon aus, daß im Industrieland die Kapitalkosten pro Arbeitsplatz ungefähr so hoch sind wie das Durchschnittsjahreseinkommen einer Arbeitskraft, etwa 1000 Pfund. Das bedeutet, daß in einem »Mann/Jahr« ein Arbeitsplatz geschaffen werden kann. Anders ausgedrückt: ein Mann müßte zwölf Jahre lang ein Monatsgehalt sparen, um sich selbständig machen zu können. Wenn ein Arbeitsplatz aber, wie in vielen Entwicklungsländern, das Zehnfache dessen kostet, was ein Arbeiter verdient, dann müßte ein Mann 120 Jahre für einen neuen Arbeitsplatz sparen. Daraus folgert Schumacher, daß Länder, die niedrige Löhne zahlen, sich eben keine 1000-Pfund-Technologie leisten können, sondern eine 100-Pfund-Technologie brauchen. Er hält Investitionen von etwa 70 Pfund pro Arbeitsplatz in vielen Ländern für die obere Grenze.
Der Forderung nach »Appropriate Technology« wird oft wirtschaftliche Irrationalität vorgeworfen. Sicher kann sie nur selten mit einem teuren arbeitsintensiven Verfahren auf dem Weltmarkt konkurrieren. Für Exportgüter gilt es, Verfahren zu finden, die bei gleichen oder niedrigeren Kosten mehr Arbeitskraft absorbieren als die bisher übernommenen.
Aus Indien ist das Beispiel eines Unternehmers bekannt, der »100-Pfund-Fertigungsmethoden« anwendet. Er hat selbst halbmechanisierte Arbeitsgänge erfunden, um rostfreie Uhrengehäuse und metallene Uhrarmbänder herzustellen. Er beschäftigt ein Vielfaches der Arbeitskräfte, die in der Schweiz die gleichen Uhrenteile herstellen würden. Doch wegen niedriger Kapitalkosten ist er trotzdem konkurrenzfähig auf dem Weltmarkt und exportiert seine Erzeugnisse überall in die Welt, auch in die Schweiz, als Zulieferung für die dortige Uhrenindustrie.

Wo speziell für den einheimischen Markt oder für eine regionale Wirtschaftsgemeinschaft produziert wird, brauchen höhere Produktionskosten oder geringere Qualität ein arbeitsintensives Verfahren nicht zu verhindern, wenn dadurch die sozialen Kosten der Arbeitslosigkeit verringert werden. Entsprechender Zollschutz ist dann vertretbar, wenn in Entwicklungsländern größere Märkte vorhanden sind.

Schwerer wiegt der Vorwurf des »technologischen Kolonialismus«: die Entwicklungsländer würden durch eine »appropriate technology« auf einer niedereren wirtschaftlichen Stufe gehalten. Zu widerlegen ist diese These nicht. Nur: selbst wenn sich die weltwirtschaftlichen Strukturen zugunsten der Entwicklungsländer verändern, werden diese noch auf lange Sicht nicht das technologische Niveau der Industrieländer erreichen. Befriedigen kann eine neue Weltarbeitsteilung, bei der die einen mit Computern, die anderen mit Nähmaschinen umgehen, keineswegs.

Aber es geht nicht um die beste aller möglichen Welten, sondern um eine Lebenschance für Hunderte von Millionen. Technologischer Kolonialismus wäre es, wenn wir fortfahren wollten, Entwicklungsländern Produktionsmethoden aufzudrängen oder überzustülpen, die ihre überschüssige Arbeitskraft brachliegen lassen.

Ähnliches gilt für die Übertragung unserer Konsumgewohnheiten auf Entwicklungsländer. Dort werden Konsumgüter verkauft, die für den Verbraucher einer Bedarfsweckungswirtschaft ersonnen wurden. Die Menschen in Europa waren vor 20 Jahren nicht deswegen unglücklich, weil sie keine bügelfreien Hemden in Plastikhüllen kaufen konnten. Die Frauen in Entwicklungsländern werden nicht dadurch unglücklich, daß sie nicht all die Kosmetika angeboten bekommen, die ohnehin die wenigsten kaufen können. Aufwendiges Verpackungsmaterial, eingeplanter Verschleiß und damit laufende Neuanschaffung sind schädlicher Luxus im Entwicklungsland.

Wenn Ivan Illich meint, der Weg zur Armut sei mit technischer Hilfe gepflastert – meint er damit die Einführung von modernen Konsumgütern, die sich höchstens eine Minderheit auf Kosten der Mehrheit leisten kann. »Die Reichen, Schul-

gebildeten und Alten dieser Welt versuchen, ihre zweifelhaften Segnungen mitzuteilen, indem sie der Dritten Welt ihre abgepackten Lösungen aufzwingen.«[24]
Daß es keinen allzu großen Fortschritt für die Menschen der Entwicklungsländer darstellt, wenn sie statt Wasser Coca-Cola trinken, ist oft gesagt worden. Nicht umsonst hat z. B. Tansania die Einführung von Luxusgütern einschließlich Autos von einer bestimmten Größe an verboten. Wenn dies von der deutschen Presse beklagt wird, weil so kein Konsumbürgertum entstehen könne,[25] so ist das vom Standpunkt dessen, der dorthin exportieren will, verständlich. Doch wer eine gleichgewichtige gesellschaftliche Entwicklung plant, muß wohl auf Herztransplantationen verzichten, solange viele Menschen nicht einmal Pockenschutzimpfung erhalten.
Neuerungen, die Illich für wichtig hielte, sind z. B. der »mechanische Esel«, ein sehr robustes, billig zu unterhaltendes Fahrzeug, das auch im Schlamm der Regenzeit und auf unwegsamem Gelände fahren kann. Schnelligkeit, Komfort und Eleganz wären Eigenschaften, auf die der lateinamerikanische Bauer gern verzichten würde, hätte er ein praktisches Beförderungsmittel. Eine deutsche Firma scheint sich um diesen mechanischen Esel zu bemühen. Aber er muß wohl, soll er billig sein und wenig Devisen kosten, auch in Entwicklungsländern hergestellt werden, und wenn man nur mit der Montage beginnt.
Eine andere Firma erprobt zur Zeit eine Maschine, eine fahrbare Anlage, nicht größer als ein Personenwagen, die in den Ländern, wo Kaffee und Bananen angebaut werden, aus abgehackten Bananenstämmen Fasern für die Sackherstellung gewinnen. Dadurch wird den Bauern nicht nur die mühselige Beseitigung der Bananenstrünke erspart, sondern auch, was wichtiger ist, der Import von Jute- oder Kunstfasersäcken für die Kaffeeverpackung. Die Maschine stellt aus lokalem Material her, was am Ort gebraucht wird.
Die vielberufene technologische Lücke läßt sich nicht dadurch schließen, daß unsere technischen Errungenschaften einfach exportiert werden. Entwicklungsländer müssen mit den passenden arbeitsintensiven Methoden herstellen, was ihre Menschen brauchen. Für die angewandte Forschung gibt es hier

noch große Aufgaben, nicht nur in der industriellen Produktion, sondern auch auf den Gebieten Ernährung und Gesundheit. Ein wirtschaftliches Verfahren zur Gewinnung von Eiweiß aus Algen, eine Methode zur Ausrottung der Bilharziose oder einfache und sichere Mittel der Empfängnisverhütung können Neuerungen von größter Bedeutung sein. Hier sind Ansatzpunkte für eine spezielle Forschung zur Technologie der Entwicklungsländer.

5. Beschäftigung

Erst seit etwa drei Jahren wissen wir wenigstens ungefähr, wie groß Arbeitslosigkeit und Unterbeschäftigung in den Entwicklungsländern sind.
Nach dem Weltbeschäftigungsprogramm der ILO (= International Labour Organization) suchen dort mindestens 7,5 Prozent der Erwerbsbevölkerung, also etwa 76 Millionen Menschen vergeblich nach einem Arbeitsplatz.[26] Wie viele Menschen die aussichtslose Suche nach Arbeitsplätzen aufgeben oder gar nicht erst aufnehmen, wie viele in der Landwirtschaft oder im Dienstleistungsbereich nur zeitweise arbeiten können oder nur so unproduktiv, daß es nicht zum Leben und nicht zum Sterben reicht, weiß niemand genau. Die Schätzungen über »versteckte« Arbeitslosigkeit und Unterbeschäftigung schwanken von Land zu Land zwischen zehn und 50 Prozent.[27] Insgesamt dürften derzeit 20 bis 30 Prozent des Arbeitspotentials der Entwicklungsländer brachliegen. Und was schlimmer ist: die Zahl der Arbeitsplätze wächst nicht so schnell wie die Erwerbsbevölkerung, weil Art und Tempo der Industrialisierung nicht ausreichen, um neben dem hohen Bevölkerungszuwachs der Städte auch noch den Zustrom vom Lande zu bewältigen.
Bis 1980 werden zusätzlich 225 Millionen Menschen Arbeitsplätze suchen. Für sie und für die Arbeitslosen von heute müßten bis dahin 300 Millionen neue Arbeitsplätze geschaffen werden.[28] Setzt sich der bisherige Trend fort, werden aber nur etwa 80 Millionen Arbeitsplätze in der Landwirtschaft und 20 Millionen Arbeitsplätze in der Industrie hinzukommen, so daß 200 Millionen arbeitslos wären.[29]

Daß es soweit kommen konnte, wurde zu Recht als »tragischstes Versagen«[30] der bisherigen Politik von Entwicklungs- und Industrieländern bezeichnet. Wir müssen heute erkennen, daß es naiv war, eine ausreichende Zahl von Arbeitsplätzen als Nebenprodukt des Wirtschaftswachstums zu erwarten und daß es kein Patentrezept gibt, das der Arbeitslosigkeit in Entwicklungsländern rasch beikäme. Es wird schwierig genug sein, wenigstens zu verhindern, daß 1980 30 bis 40 Prozent statt bisher 20 bis 30 Prozent der Erwerbsbevölkerung keine produktive Arbeit finden. Dazu muß zunächst Beschäftigung nicht mehr als Abfallprodukt, sondern als Ziel der Entwicklungspolitik anerkannt werden. Der Vorsitzende des Entwicklungsausschusses der OECD, Martin, bezeichnet das Beschäftigungsziel daher in seinem neuesten Bericht als einen »Angelpunkt der Entwicklungsplanung«.[31] Ohne Arbeit kein Brot, kein Dach über dem Kopf, keine Erziehung für die Kinder, kein Anteil am Fortschritt, keine Spur von sozialer Gerechtigkeit.
Gegen dieses Ziel wendet sich ein tiefsitzendes Vorurteil, Beschäftigung gehe auf Kosten des Wirtschaftswachstums. Das ist schon bei der Arbeitslosigkeit in den Industrieländern falsch, das ist erst recht falsch, wenn wie in Entwicklungsländern 20 bis 30 Prozent des Arbeitspotentials brachliegen. Sicher sind diese Menschen nur zum geringen Teil – wie z. B. die wachsende Zahl der »gebildeten Arbeitslosen« – qualifiziert. So nützen Konjunkturspritzen nach Vorbild der Industrieländer wenig.[32] Ein ganzes Bündel von Maßnahmen ist nötig, die Geld kosten, das anderswo fehlt. Aber bei einer so hohen Arbeitslosigkeit überwiegen auch ökonomisch die Vorteile: zusätzliche Produktion, Einsparung sozialer Kosten der Arbeitslosigkeit, bessere Nutzung des knappen Kapitals und Vergrößerung des Inlandmarkts. Sollten bei einem hohen Beschäftigungsstand – der vorerst nur in Ausnahmefällen zu erreichen ist – wirklich Zielkonflikte mit dem Wachstum auftreten, so wird politisch zu entscheiden sein, ob die Grundbedürfnisse der bisher Arbeitslosen höher zu bewerten sind oder die Chancen der bereits besser Gestellten, ihr Einkommen weiter zu erhöhen.
Da Familienplanung frühestens gegen Ende der 80er Jahre

eine Entlastung bringen könnte – die Arbeitslosen von 1985 sind bereits geboren – bleiben drei mühsame Wege: Förderung arbeitsintensiver Sektoren, arbeitsintensivere Produktionsverfahren und unmittelbare Beschäftigungsprogramme.
Im Durchschnitt der Entwicklungsländer beschäftigt die Landwirtschaft 65 Prozent der Arbeitskräfte[33] und selbst in Lateinamerika sind es noch über 40 Prozent.[34] Ihr Beitrag zum Sozialprodukt liegt erheblich niedriger, vielfach ist er nicht einmal halb so groß wie der Anteil am Arbeitspotential.[35] Selbst wenn solche Zahlen mit Vorsicht zu genießen sind, zeigen sie doch, daß die Landwirtschaft produktiver arbeiten, aber auch, zumindest auf mittlere Sicht, der wichtigste Arbeitgeber bleiben muß. Auch wenn die Landwirtschaft bis 1980 weniger als 60 Prozent der Menschen beschäftigen sollte, würde die absolute Zahl der landwirtschaftlichen Arbeitskräfte noch um 80 Millionen zunehmen.[36]
Die traditionelle Landwirtschaft wird mit sehr wenig Kapital betrieben. Höhere Erträge pro Flächeneinheit lassen sich sowohl durch mehr Kapital wie durch mehr Arbeit erzielen. Während in den Industrieländern ein hoher Ertrag pro Arbeitskraft durch mehr Kapital angestrebt wird, werden viele Entwicklungsländer erst einen hohen Ertrag pro Hektar durch mehr Arbeitskräfte erreichen müssen.
Die Entwicklungspolitik muß die Landwirtschaft nicht nur fördern, weil sie Nahrungsmittel, Rohstoffe und Exportgüter produziert, sie muß die »Grüne Revolution« auch so lenken, daß mit möglichst wenig Kapital möglichst viele Menschen produktiver arbeiten können. Das heißt z. B., daß neue Sorten und Kulturen, die nur bei intensiver Pflege höhere Erträge abwerfen, wichtiger sind als arbeitsparende Landmaschinen.[37]
Eine arbeitsintensive und gleichzeitig leistungsfähige Agrarwirtschaft braucht Bewässerung, Wegebau, Beratungs-, Kredit- und Absatzorganisationen für kleine Betriebe und Genossenschaften, einfache und robuste Geräte, Lagerraum, aber auch praxisnahe Grunderziehung, Gesundheitsdienst, Willen und Fähigkeit zur Selbsthilfe für die arbeitslosen Analphabeten auf dem Lande. Nur so kann sich die Masse der Kleinbauern, Pächter und Landarbeiter in vielen hunderttausend

Dörfern eine Existenzgrundlage schaffen und der Sogwirkung der Großstädte widerstehen.
In vielen Ländern setzt dies voraus, daß der Boden den Menschen zur Verfügung gestellt wird, die ihn auch bearbeiten wollen. Solche Strukturveränderungen müssen nicht nur sorgfältig geplant und organisiert werden, sie kosten auch Geld und müssen oft gegen den erbitterten Widerstand der ländlichen Oberschicht und der bisher bevorzugten städtischen Wirtschaft durchgesetzt werden.
Da es kaum gelingen kann, die Landflucht ganz zu stoppen, die städtische Bevölkerung also nach wie vor schneller als die Gesamtbevölkerung wachsen wird – derzeit wächst sie sogar doppelt so schnell –, muß auch in anderen arbeitsintensiven und produktiven Zweigen der Wirtschaft investiert werden.
Dazu gehören z. B. Bauwirtschaft, Handwerk, Transportwesen und Tourismus. Aber auch innerhalb der Industrie sind Branchen wie Bekleidung, Schuhwerk, Verarbeitung von Agrarprodukten, einige Teile der Elektroindustrie, der Metallverarbeitung und des Maschinenbaus überdurchschnittlich arbeitsintensiv. Manche Entwicklungsländer können damit schon heute auf den Märkten der Industrieländer konkurrieren. Sie könnten einen größeren Teil unseres Bedarfs dekken, wenn ihnen keine protektionistischen Hindernisse im Weg stünden.
Die Politik von Entwicklungs- und Industrieländern führte bisher dazu, daß überwiegend kapitalintensive Branchen, Betriebsgrößen und Produktionsmethoden gefördert wurden. Niedrige Zinsen für Anlagen und verhältnismäßig hohe Löhne für die kleine Gruppe der Facharbeiter, Techniker, Manager und ausländische Experten, günstige Wechselkurse und Kredite zum Import von Maschinen – nicht zur Finanzierung von Inlandskosten –, Bevorzugung großer Prestigeprojekte, bedenkenlose Übertragung der Produktionsmethoden der Industrieländer durch ausländische und inländische Investoren, das alles könnte dazu führen, daß ein immer kleinerer Teil der Bevölkerung mit seiner Arbeit den Rest der Menschen gerade noch über Wasser hält.
Als erster Schritt müßten Entwicklungs- und Industrieländer damit aufhören, kapitalintensive Produktionen und Ver-

fahren einseitig zu begünstigen. Sie müssen dazu ihr Förderungsinstrumentarium überprüfen, anpassen und ergänzen.
Es ist nicht wahr, daß die meisten Industriezweige unbedingt kapitalintensive Verfahren erfordern. Nur in Ausnahmefällen gibt es Produktionen – Erdölraffinerien könnten ein solches Beispiel sein – ohne Produktionsstufen, die auch mit weniger Kapital und mehr Arbeit zu bewältigen sind.
Man kann das Rohmaterial manuell, halb- und vollautomatisch zuführen, man kann auf Verpackungsmaschinen und Buchungsautomaten in den meisten Betrieben verzichten. Man braucht auch keine Selbstbedienung, wenn es beliebig viele Verkäuferinnen gibt, keinen Baukran, wenn ein Seilzug genügt, keine Planiermaschine, wenn 100 oder 1000 Mann die gleiche Arbeit mit Pickel und Schaufel vollbringen können. Schließlich zeigt ein Blick in jeden beliebigen Maschinenkatalog, daß es neben automatisierten Anlagen, die nur bei großen Serien rentabel sind, einfachere, unempfindlichere und billigere Maschinen gibt, die bei kleineren Auflagen ebenso rentabel arbeiten.
Unser Wiederaufbau nach dem Zweiten Weltkrieg gelang auch nicht in erster Linie durch Kapital- und Devisenreichtum, sondern durch zähe Arbeit und viel Improvisation. Arbeitsparende Rationalisierung wurde erst notwendig, als die Vollbeschäftigung näherrückte.
Was die Entwicklungsländer brauchen, ist kapitalsparende Rationalisierung. Ihre Anlagen müssen in mehreren Schichten ausgelastet und viel sorgfältiger gepflegt werden als bei uns. Sie können auf technische Raffinessen und häufigen Modellwechsel verzichten, wenn die Maschinen nur länger halten und höhere Belastungen vertragen.
Entwicklungs- und Industrieländer müssen einsehen, daß Zusammensetzung und Qualität der Produktion nicht einfach am Modell unserer Überflußgesellschaft zu orientieren sind. Die Entwicklungsländer sind auf Exporte angewiesen, um lebenswichtige Importe zu bezahlen. Sie müssen also Waren anbieten, die der Nachfrage und den Qualitätsmaßstäben der Industrieländer entsprechen, und dies erfordert in der Regel eine standardisierte Produktion mit modernen Maschinen und qualifizierten Fachkräften.

Aber für den großen und bisher vernachlässigten Inlandsmarkt müssen Investitions- und Konsumgüter nicht diesem Maßstab entsprechen, sondern die Grundbedürfnisse der Bevölkerung befriedigen. Solche Produkte können oft von kleineren einheimischen Betrieben mit wenig Kapital hergestellt werden. Fahrräder und Pflugscharen sind wichtiger als chromglitzernde Straßenkreuzer und vollmechanisierte Mähdrescher. Nahrung, Kleidung und Verkehrsmittel für die breite Masse schaffen mehr Beschäftigung als eine Konsumgüterindustrie für die Bedürfnisse einer schmalen Oberschicht.
Auch wenn all das angepackt wird, was mehr Beschäftigung bringt, lassen sich Arbeitslosigkeit und Unterbeschäftigung in Entwicklungsländern während der 70er Jahre nicht beseitigen, sondern bestenfalls verringern. Und wir können sicher sein, daß nicht alles getan wird. Am härtesten wird die Arbeitslosigkeit die jungen Menschen treffen. Manche Länder müssen versuchen, wenigstens einen Teil ihrer arbeitslosen Jugend durch Arbeitsdienste in Stadt und Land zu beschäftigen. So wenig das unserem Geschmack entspricht – wer wird sie dafür tadeln dürfen?

6. Industrie und Landwirtschaft

Am Ende der kolonialen Ära empfanden viele Kolonialgebiete, daß ihre Industrialisierung von den Kolonialmächten verhindert oder nur in dem Maße zugelassen wurde, wie sie dem kolonialen Interesse entsprach. So wurde zwar in Nordvietnam Eisen abgebaut, die Verhüttung wurde in Frankreich vorgenommen, trotz eines Transportweges um die halbe Welt. Dies entsprach dem damaligen Verständnis einer Arbeitsteilung, nach der die Kolonialgebiete Rohstoffe zu liefern hatten, während die Industrieländer sich die industriellen Fertigungen vorbehielten. Kein Wunder, daß Industrialisierung in diesen Ländern heute als ein Mittel empfunden wird, wirtschaftliche Abhängigkeit von den früheren Kolonialmächten zu überwinden, nicht nur als ökonomischer Prozeß, sondern auch als ein Stück politischer Emanzipation.
Dies erklärt die teilweise ungeheuren Anstrengungen, die

viele Entwicklungsländer für ihre Industrialisierung in den ersten Jahren nach ihrer Unabhängigkeit auf sich genommen haben. Verständlicherweise konzentrierte man sich auf die Produktionen, die Importgüter ersetzen sollten. Wie der Pearson-Bericht ausweist, konnten in den Jahren 1950 bis 1967 die Entwicklungsländer im Schnitt industrielle Zuwachsraten von sieben Prozent erzielen. Dies ist mehr als der allgemeine Zuwachs des Bruttosozialprodukts dieser Länder von durchschnittlich fünf Prozent. Diese Leistung ist um so erstaunlicher, wenn man bedenkt, unter welch ungünstigen Bedingungen sie erreicht wurde: es fehlte an Fachkräften, an Energie, an Transportmitteln und oft auch an Ersatzteilen.

Allerdings verschweigt der Pearson-Bericht nicht, daß die Substitution von Importgütern nicht unbegrenzt fortgesetzt werden kann. Viele einheimische Industrieprojekte, die unter dem Schutz von Zollschranken hergestellt werden, sind teurer als gleichwertige importierte Güter.

Andererseits ist es für Entwicklungsländer schwierig, fertige und halbfertige Industrieprodukte auf dem Weltmarkt abzusetzen. Der industrielle und technologische Vorsprung der Industrieländer kann nur da aufgeholt werden, wo in Entwicklungsländern klare Standort- und Kostenvorteile vorliegen. Schließlich verhindern auch Zollschranken oder Einfuhrkontingente größere Exporte in Industrieländer.

Die siebenprozentige Zuwachsrate verschleiert daher, daß die Industrialisierung in den einzelnen Entwicklungsländern recht unterschiedlich verlaufen ist. Besonders erfolgreich waren einige lateinamerikanische und ostasiatische Länder, in anderen Entwicklungsländern zeichnen sich auch heute kaum Ansätze ab. Gezielte Industrialisierungsmaßnahmen brachten nicht immer die gewünschten Erfolge. Denn nicht immer wachsen die anderen volkswirtschaftlichen Bereiche mit. Können die Energieversorgung und Verkehrsverbindungen nicht im erforderlichen Maße verbessert werden, kommt es zu Stockungen in der Produktion. Kann die Kaufkraft der breiten Masse nicht angehoben werden, so ist es schwierig, die hergestellten Produkte zu verkaufen, ganz zu schweigen von den Gütern, die für einen ausländischen Markt bestimmt sind und der internationalen Konkurrenz unterliegen.

Besonders in den Ländern, wo große Industrieanlagen aus Prestigegründen gebaut wurden, kam es häufig zu Rückschlägen, so daß sich industrielle Prestigeobjekte schnell in Entwicklungsruinen verwandelten oder in Anlagen, die mehr Subventionen fraßen als sie Erträge abwarfen.
Überdies hat die Industrialisierung die Entwicklungsländer zunehmend verschuldet, und zwar bei den Industrieländern. Was dazu bestimmt war, Abhängigkeit von den Industrieländern zu beseitigen, hat so zunächst einmal neue Abhängigkeit geschaffen: die wachsende Verschuldung der Entwicklungsländer.
Haben die Kritiker recht, die den Industrialisierungsmaßnahmen der Länder der Dritten Welt von Beginn an mißtrauisch gegenüberstanden, weil sie meinten, daß Industrie sich nur über Handwerk und kleine Gewerbebetriebe entwickeln könne, ähnlich wie bei uns? Haben diejenigen recht, die behaupten, daß die Entwicklungsländer sich ganz auf ihre Landwirtschaft konzentrieren sollten?
Daß sich jede Vernachlässigung der Landwirtschaft bitter rächt, haben die meisten Entwicklungsländer inzwischen eingesehen. Sie sind nur insofern Agrarländer, als der Anteil der Industrieproduktion gering ist, nicht in dem Sinne, daß sie über eine gesunde, produktive Landwirtschaft verfügen. Fast überall herrschen noch traditionelle Anbauformen, einseitige Bebauung, häufig gekoppelt mit einer extensiven Bewirtschaftung. Die Anbautechnik erreicht nur in Ausnahmefällen den Stand der landwirtschaftlichen Produktion in den Industrieländern. Gleichzeitig verhindern an vielen Stellen überkommene Gesellschaftsstrukturen größere Produktivität.
So wird in Lateinamerika in vielen Fällen der feudale Landbesitz nicht optimal genutzt, weil der Besitzer kein Interesse daran hat. Weite Gebiete liegen brach oder werden als Weideland genutzt, auch wenn dort Mais oder Getreide angebaut werden könnte.
Viele Entwicklungsländer müssen auch heute noch Nahrungsmittel einführen. Für sie geht es also zuerst um die eigene Versorgung. Zugleich erscheint die Landwirtschaft – zumindest für die nächsten Jahre – geeigneter als die Industrie,

arbeitslose und unterbeschäftigte Menschen zu absorbieren. Sie erfordert keinen so hohen Ausbildungsstand wie die Industrie, gleichzeitig lassen sich technologische Erfahrungen der Industrieländer in diesem Bereich rascher und reibungsloser umsetzen als in anderen. Die Anwendung von Dünger, neuem Saatgut oder Bewässerungsmethoden braucht keine zusätzlichen Schulen, allenfalls einen funktionierenden Landfunk mit einer Anzahl von Transistorgeräten. In Indien, Pakistan und in den Philippinen, wo neues Saatgut verwendet wurde, konnten innerhalb kurzer Zeit die Erträge vervielfacht werden. Es ist sicher ein falscher Schluß, deshalb die Industrialisierung in den Entwicklungsländern zurückzustellen. Landwirtschaft und Industrie sind keine sich ausschließenden Alternativen, sondern höchstens eine Frage der Priorität.

So verfügt Algerien über Erdöl-, Erdgas-, Eisenerz- und Kohlenvorkommen und hat ein gut ausgebautes Verkehrsnetz aus der Kolonialzeit übernommen. Es liegt nahe, daß Algerien vorrangig den petrochemischen Bereich, die Stahl- und weiterverarbeitende Industrie fördert. Algerien hofft, durch den Export von Erdöl und Erdgas Devisen zu erwirtschaften und durch die eigene Stahlproduktion Devisen einzusparen. Diese Gelder sollen gezielt in den Ausbau der gesamten Wirtschaft, auch der Landwirtschaft, investiert werden.

Taiwan verfügt dagegen kaum über nennenswerte Bodenschätze. Unter dem Druck einer Landreform wurde hier zunächst die Landwirtschaft vorrangig gefördert und über den Export landwirtschaftlicher Güter Devisen erwirtschaftet, mit denen nun die Industrie ausgebaut wird. Taiwan hat mit dieser Politik so viel Erfolg gehabt, daß es schon vor einigen Jahren die Entwicklungshilfe der USA nicht mehr in Anspruch zu nehmen brauchte. Es entsendet sogar selbst landwirtschaftliche Experten in asiatische und afrikanische Entwicklungsländer.

Sicher gibt es auch hier keine allgemeinverbindlichen Leitsätze, nach denen die Investitionsanteile für landwirtschaftliche und industrielle Förderung festgelegt werden könnten. Aber sicher besteht eine Wechselwirkung zwischen industrieller und landwirtschaftlicher Entwicklung. Fortschritte in der

landwirtschaftlichen Produktion stoßen rasch an eine Grenze, wenn nicht durch Industrie die Kaufkraft für mehr und bessere Lebensmittel geschaffen wird. Und wo industrielle Ballungsräume nur ernährt werden können mit Hilfe knapper Devisen, sieht sich die Industrialisierung bald blockiert.
Industrialisierung bedeutet nicht notwendig rasches Wachsen der Städte. Wo sie in kleinen ländlichen Zentren beginnt, hemmt sie die Landflucht.

Die Landflucht in Entwicklungsländern hat im letzten Jahrzehnt bisher ungekannte Ausmaße angenommen. Die Außenbezirke der Großstädte verwandeln sich oft über Nacht. Wo noch gestern freies Feld war, haben sich heute Hunderte in schnell erbauten Lehm- oder Wellblechhütten angesiedelt. Die Einwandererzahlen klettern nicht selten um mehr als zehn Prozent pro Jahr.
In der eigentlichen Stadt kümmert es wenige, ob die Menschen in den Vorstädten trinkbares Wasser haben, wo ihre Abfälle bleiben und ob ihre baufälligen Hütten den nächsten großen Sturm oder Regen überstehen.
Wenn dennoch ein solches Leben dem auf dem Land vorgezogen wird, so offenbar deshalb, weil in den meisten Entwicklungsländern die Großstadt doch bessere Überlebenschancen bietet. Obwohl die wildwachsenden Vorstädte die übrige Stadt zu erdrücken scheinen, ernährt die Stadt doch irgendwie ihre Bewohner. Viele mögen dabei nur von den Abfällen der Oberschicht leben, aber es reicht für ein Leben von der Hand in den Mund. Dies ist häufig mehr als das, was auf dem Lande noch nach einer schlechten Ernte übrigbleibt. Viele hoffen auch, eines Tages den Sprung von der grauen Vorstadt in die Innenstadt mit ihren Leuchtreklamen, Hochhäusern und den geschäftigen Straßen zu schaffen. Vielleicht hoffen sie, eines Tages die Dinge kaufen zu können, die in den Schaufenstern der großen Geschäfte ausliegen. Wo zwischen Stadt und Land nicht nur Jahrhunderte, sondern gelegentlich Jahrtausende liegen, darf man sich nicht wundern, daß sogar ein Dasein in Slums noch attraktiv erscheint.
Wenn es einem von ihnen gelingt, in der eigentlichen Stadt

eine geregelte Arbeit und dann ein gesichertes Auskommen zu finden, so verbreitet sich die Kunde schnell unter den Menschen in den Wellblech- und Kanistervierteln und dringt sogar bis in die abgelegensten Gebiete. Und andere brechen auf, um ihr Glück zu versuchen, und verringern damit die Chance derer, die schon seit Jahren warten. Wann wird dieser Menschenstrom vom Land in die Großstädte abbrechen oder wenigstens dünner werden? Selbst Versuche, unter Anwendung von Gewalt, die Ansiedlung in den Außenbezirken zu verhindern, sind fehlgeschlagen. Wahrscheinlich wird die Landflucht in den Entwicklungsländern so lange weitergehen, wie das Land noch weniger zu bieten hat als die Slums der Städte. Auch hier spielt sich nichts von selbst ein.
Während der Aufschwung der Industrieländer zeitlich – wie Baade nachweist – mit der Abwanderung von Arbeitskräften vom Land in die Stadt einherging, wird die Entscheidung für die Entwicklungsländer – zumindest in den unmittelbar vor uns liegenden Jahren – auf dem Lande fallen. Dort muß die Agrarproduktion so gesteigert werden, daß die Menschen zumindest vor nacktem Hunger sicher sind. Dort muß die Infrastruktur verbessert werden, dort müssen Schulen, Krankenstationen, Verkehrsverbindungen und vor allem Arbeitsplätze geschaffen werden. Sonst hat auch die Urbanisierung keine Chance. Daß Städte sterben können, gehört zu den neuesten Erkenntnissen in den Industrieländern.

7. Gesellschaftliche Veränderungen

Entwicklungspolitik muß die Mehrheit der Menschen dazu bringen, über ihre Lage nachzudenken, sie muß sie in Stand setzen, etwas daran zu ändern. Sobald sie dies aber tut, stößt sie auf Widerstand, auf traditionelle Verhaltensweisen, auf überholte Privilegien, auf veraltete Institutionen, auf mächtige Gruppen.
Jeder Arzt und jeder Lehrer, jeder Agrarexperte und jeder Ingenieur, jeder Regierungsberater und jeder freiwillige Entwicklungshelfer kann davon erzählen. Ob es darum geht, einen Gesundheitsdienst auf dem Lande einzurichten, das

Wasser eines Stausees zu verteilen, den Standort einer Industrie zu bestimmen, immer wieder stoßen sie auf Mauern und Grenzen.

Wenn einige Großgrundbesitzer über den besten Boden verfügen, den Handel mit Saatgut, Düngemitteln und Geräten kontrollieren, wenn sie die Ernten aufkaufen, wenn sie bestimmen, wer Zugang zum Kredit, zum Wasser, zur Justiz oder zur Regierung hat, dann nützen ein Bewässerungskanal, eine Entwicklungsbank, eine Musterfarm oder ein landwirtschaftlicher Beratungsdienst den Kleinstbauern und Pächtern wenig. Wenn das Bildungssystem dazu dient, einer kleinen Minderheit das Recht auf eine bequeme Arbeit zu bescheinigen, dann werden auch die Absolventen Technischer Schulen nur eine Schreibtischarbeit übernehmen wollen. Wenn die Importkaufleute der Hafenstadt die Wirtschaft beherrschen, dann führen neue Infrastrukturen im Landesinneren dort noch lange nicht zur Industrialisierung. Wenn sich Gewerkschaften damit begnügen, für einige tausend Industriearbeiter der Großstädte Löhne auszuhandeln, die für die Masse ihrer Landsleute unerreichbar sind, dann erweist sich ihre Unterstützung durch Gewerkschaften der Industrieländer als wenig sinnvoll.

Wenn – wie in Lateinamerika – fünf Prozent der Bevölkerung über etwa 31 Prozent des Einkommens verfügen, während 40 Prozent der Bevölkerung mit neun Prozent auskommen müssen,[38] wenn Luxuskonsum, Spekulation, Kapitalflucht einen großen Teil der Ersparnisse aufsaugen, dann kann man lange warten, bis private Initiative und Massenkonsum den allgemeinen Wohlstand hervorbringen.

Es sind gerade die Erfahrungen der praktischen Entwicklungspolitik, die zeigen, wie nötig Reformen sind, in der Landwirtschaft, in der Bildung, der Besteuerung, der Verwaltung, der Regionalpolitik. Allzu viele Mittel der Entwicklungshilfe versickern, weil sie nicht Teil solcher Reformen sind.

Soziale Reformen in der Dritten Welt sind vielfach Zerreißproben für Systeme, die schon ihre täglichen Aufgaben nur mangelhaft erfüllen. Dabei verweisen die einen auf die fehlenden Voraussetzungen und die knappen Mittel, wenn sie

Reformen aufschieben wollen. Die anderen meinen, es genüge, eine privilegierte Gruppe oder eine Institution zu beseitigen, alles übrige ergebe sich von selbst.

So sicher es ist, daß soziale Veränderungen in der Dritten Welt unausweichlich sind, so sicher es ist, daß dabei im einen oder anderen Fall auch Machtstrukturen aufgebrochen werden müssen, so wenig überzeugt mich jener naive Glaube an die »Revolution«, der heute gelegentlich im Schwange ist. Als ob dann sofort die Geburtenrate zurückginge und die Produktion stiege, die Korruption verschwände und die Verwaltung funktionierte! Um die meisten Länder der Dritten Welt steht es zu ernst, als daß sie aus einem Punkte zu kurieren wären. Landflucht und Urbanisierung machen dem sozialistischen Tansania dieselben Sorgen wie der liberal-kapitalistischen Elfenbeinküste. Daß Revolution und Schlamperei sich nicht ausschließen, wissen wir nicht nur aus den Reden Fidel Castros. Daß ein solches Land – trotz beachtlicher Erfolge bei der Mobilisierung und Alphabetisierung – auch ruiniert werden kann durch die Sprunghaftigkeit eines großen Führers, der alle paar Jahre eine andere Wirtschaftspolitik proklamiert, weiß Castro wohl besser als seine Bewunderer.

Wo radikale gesellschaftliche Veränderungen unausweichlich werden, geben sie einem Volk nicht mehr als die Chance eines neuen, mühevollen Anfangs aus eigener Kraft. Und die Rechtfertigung dafür wird nicht lauten, daß nachher alles gut sei, sondern daß es vorher nicht mehr weiterging. Deshalb wären die Länder zu beneiden – auch wenn es nicht viele sein sollten –, wo es weitergeht, Schritt für Schritt, von Reform zu Reform.

8. *Außenhandel*

In den meisten Entwicklungsländern arbeiten die modernsten Teile von Landwirtschaft und Industrie für den Export. Sie versorgen die Industrieländer mit billigen Rohprodukten: Nahrungs- und Genußmittel, pflanzliche und mineralische Rohstoffe. Dafür müssen die meisten Fertigwaren, vor allem Investitionsgüter für die Industrialisierung, importiert werden. Diese Erbschaft aus der Kolonialzeit nennen wir »weltwirtschaftliche Arbeitsteilung«.

Westeuropäer, Japaner und Nordamerikaner verdanken dem Handel einen mehr oder minder großen Teil ihres Wohlstandes. Handel wächst schneller als das Sozialprodukt. Der Anteil der Entwicklungsländer an dieser Quelle des Wohlstandes ist während der letzten 20 Jahre immer geringer geworden: 1950 entfielen auf sie fast 32 Prozent der Weltexporte, 1969 nur noch 17,7 Prozent.[39] Die Exporterlöse der Entwicklungsländer sind in dieser Zeit zwar um fast 150 Prozent gestiegen, aber die der Industrieländer um über 420 Prozent.[40] Warum? Weil die Nachfrage nach Fertigwaren schneller steigt als die nach Rohprodukten und weil die Preise der Fertigwaren im Verhältnis zu den Rohstoffpreisen gestiegen sind.

Die Zahlen sind eindeutig: die Exportmengen der Industrieländer erhöhten sich seit 1950 auf das Vierfache, die Erlöse auf mehr als das Fünffache. Die Entwicklungsländer konnten ihre Exporterlöse nur in dem Maße steigern wie die Exportmengen, also auf das Zweieinhalbfache;[41] ihre Austauschrelationen (Terms of Trade) haben sich seit 1950 um etwa sieben Prozent verschlechtert.[42]

Das wäre weniger schlimm, wenn nicht auch der Marktanteil der Rohstoffe am gesamten Welthandel noch schneller sinken würde – von 44 Prozent im Jahre 1960 auf 33 Prozent in 1969 – als der Anteil der Rohstoffe am Export der Entwicklungsländer – von 85 Prozent im Jahre 1960 auf 76 Prozent in 1969.[43]

Der Export von drei Vierteln der Entwicklungsländer hängt zu 60 Prozent von drei Rohstoffen ab, bei der Hälfte stammen mindestens 50 Prozent der Ausfuhrerlöse von einem einzigen Rohstoff.[44] Die meisten Entwicklungsländer bleiben also vorerst darauf angewiesen, den größten Teil der für ihren Aufbau nötigen Devisen auf den internationalen Rohstoffmärkten zu verdienen.

Sie fordern von den Industrieländern bessere und stabilere Rohstoffpreise und den Verzicht auf alles, was den langsamen Anstieg ihrer Einfuhrmengen zusätzlich behindert.

Vergleichbare Forderungen von Landwirtschaft, Kohlebergbau und stagnierenden Industriezweigen entwickelter Länder sind selten so dringlich, dafür häufig erfolgreicher: solche Branchen verfügen bei uns über Produktivitäts- und Absatz-

hilfen, über kostensenkende und ertragsteigernde Subventionen. Wenn auch das nicht hilft, finden Arbeit und Kapital rasch produktivere Verwendung in anderen Bereichen.
Die Marktlage ist von Rohprodukt zu Rohprodukt verschieden, eine starke Position der Entwicklungsländer aber ist die Ausnahme. Sie stoßen auf die geschützte Eigenproduktion der Industrieländer – wie bei Getreide, Fleisch, Molkereiprodukten, Zucker, Ölen und Fetten –, sie müssen gegen direkte oder indirekte Ersatzgüter konkurrieren – wie bei Kaffee, Tee, Kakao, vor allem bei Kautschuk, Jute und Hartfasern – oder sie sind von den Schwankungen der Nachfrage und von der Einkaufspolitik der Industrieländer abhängig – das gilt etwa für Metalle, Erze und Erdöl.
Noch selten arbeiten die Produzenten zusammen, obwohl sie nur so ihre Marktchancen – z. B. bei Erzen und Erdölen – nutzen und Überproduktion – wie zeitweise bei Tee und Kaffee – vermeiden können. Der Verlauf der jüngsten Erdölverhandlungen zeigt, daß die Industrieländer erheblich höhere Preise zahlen können: wenige Pfennige pro Liter waren die Folge eines um 20 Prozent höheren Rohstoffpreises.
Jeder Rohstoffmarkt hat seine Tücken, und nicht jede Konzession ist auf die Dauer vorteilhaft für die Entwicklungsländer: ihre Abhängigkeit von Monokulturen könnte sich dadurch verstärken. Wie lange ihre Durststrecke bis zur Industrialisierung wird, hängt aber auch von der Höhe ihrer Rohstofferlöse ab. Die Entwicklungsländer müssen selbst mehr tun, um billiger und planmäßiger zu produzieren. Man kann sie aber nicht einfach mit dem Hinweis auf ein Marktgeschehen abspeisen, das hauptsächlich von den marktwirtschaftlich orientierten Industrieländern bestimmt wird: die westlichen Industrieländer geben nicht nur als Käufer den Ton auf den Weltrohstoffmärkten an, sie stellen auch 49,5 Prozent der Weltrohstoffexporte gegenüber 40 Prozent der Entwicklungsländer.[45]
Rohstoffabkommen sind zwar keine Patentrezepte, können aber die Exporterlöse der Entwicklungsländer stabiler machen. Auch Lagerhaltung und Ausgleichsfinanzierung können nicht nur die Verbraucher stetiger versorgen, sondern die Exporterlöse der Entwicklungsländer stabilisieren. Besonders sinn-

voll ist es, Rohstoffabkommen durch Maßnahmen zur Auffächerung der Exporte zu ergänzen. Die Bundesrepublik Deutschland beteiligt sich deshalb an dem ersten derartigen Versuch: sie leistet einen Beitrag von 11,1 Millionen DM zum Diversifizierungsfonds des internationalen Kaffeeübereinkommens.

Wie wichtig die Rohstoffexporte für den industriellen Aufbau der Entwicklungsländer auch sein mögen, die »Märkte von morgen« gehören den Halb- und Fertigwaren. Zwischen 1950 und 1968 stieg die Ausfuhr dieser Güter überdurchschnittlich: bei den Industrieländern auf das Fünffache, bei den Entwicklungsländern immerhin auf das Dreieinhalbfache.[46] In den 60er Jahren konnten die Entwicklungsländer ihren Anteil am Weltmarkt für Halb- und Fertigwaren sogar geringfügig von 5,5 Prozent auf 6,5 Prozent erhöhen.[47]

Größtenteils stammen diese Ausfuhren von einem knappen Dutzend halbindustrialisierter Entwicklungsländer und sind oft für andere Entwicklungsländer bestimmt. Zwölf Entwicklungsländer vereinigen etwa drei Viertel der Exporte von Halb- und Fertigwaren auf sich. Fertigwaren machen rund ein Viertel des – im übrigen sehr begrenzten – Handels zwischen den Entwicklungsländern, aber nur knapp ein Siebentel der Exporte in die Industrieländer aus.[48]

Fertigwaren sind offensichtlich geeignet, den langsam wachsenden und vornehmlich aus Nahrungsmitteln und Erdöl bestehenden Handel zwischen den Entwicklungsländern auszuweiten. Noch interessanter wären freilich die kaufkräftigen Märkte der Industrieländer. Aber gerade hier fehlt es den Außenseitern an Erfahrung, gerade hier sind die Handelshemmnisse der Industrieländer besonders entmutigend.

Während Rohstoffe oft zollfrei in die Industrieländer eingeführt werden können, steigen die Zollsätze mit zunehmendem Verarbeitungsgrad rasch an. Wenn 60 Prozent der Herstellungskosten auf Rohstoffe entfallen, bedeutet z. B. schon ein mäßiger Zollsatz von 20 Prozent für die Fertigware einen effektiven Zollschutz für die Verarbeitung der – zollfrei importierten – Rohstoffe im Industrieland.[49] Hinzu kommen mengenmäßige Beschränkungen für etwa 30 Prozent der Halb- und Fertigwaren aus Entwicklungsländern, die aber rund drei Viertel der Importe aus diesen Ländern ausmachen, darunter Textilien, Bekleidung und bearbeitete Agrarprodukte.[50]

Am 1. Juli 1971 sind die Zollpräferenzen in Kraft getreten, die den Entwicklungsländern von der Europäischen Wirtschaftsgemeinschaft eingeräumt werden. 1958 wurden sie zuerst gefordert, 1964 konnten sie auf der Welthandelskonferenz nicht durchgesetzt werden. Auf der zweiten Welthandelskonferenz 1968 in Neu-Delhi wurden die Zollpräferenzen beschlossen, jetzt beginnt die EWG mit der Verwirklichung. Wer nur den Grundsatzbeschluß hört, möchte an einen revolutionären Schritt denken. Alle gewerblichen Halb- und Fertigwaren aus Entwicklungsländern passieren seit 1. Juli 1972 ohne jede Ausnahme völlig zollfrei die Grenzen des Gemeinsamen Marktes. Darüber wäre man bereit zu vergessen, daß bei 150 Agrarwaren die Zölle lediglich – in unterschiedlichem Ausmaß – gesenkt werden.

Aber auch bei den Halb- und Fertigwaren sind genügend Bremsen eingebaut. Zollfrei sind nur bestimmte Mengen, insgesamt handelt es sich um etwa eine Milliarde Dollar, immerhin etwa das Doppelte dessen, was 1968 eingeführt wurde. Besonders vorsichtig ist die EWG bei den sogenannten »sensiblen« Waren, die 60 Prozent des Gesamtangebots ausmachen, also vor allem Textilien und Schuhe. Hier haben die Mitglieder des Marktes die Lasten fein säuberlich auf die einzelnen Nationen verteilt (BRD 37,5 Prozent, Frankreich 27,1 Prozent usw.), was nicht gerade nach Gemeinsamkeit aussieht. Und was über den zugestandenen Kontingenten liegt, muß wie bisher verzollt werden. Von revolutionärem Schritt kann also nicht die Rede sein. Aber ein Anfang ist gemacht.

Wahrscheinlich hätte auch ein großzügigeres Entgegenkommen der EWG den Entwicklungsländern im Augenblick nicht viel genützt. Denn nur wenige ihrer Exporteure haben Waren anzubieten, die der europäische Markt aufnimmt, und noch seltener sind die Exporteure, die genügend Erfahrung haben, um die Marktlücken zu erspüren, die sich in der EWG auftun. Jetzt kommt es darauf an, daß die mühsam ausgehandelten Präferenzen auch ausgenützt werden.

Denn obwohl die Entwicklungsländer während der letzten

Jahre mit wachsendem Erfolg importierte Fertigwaren durch eigene Produkte ersetzt haben, wächst die »Handelslücke«. Bisher wurde sie vor allem durch Schuldenaufnahme geschlossen, wobei kommerzielle Kredite nur ein Viertel der ausstehenden Schulden, aber – wegen der harten Bedingungen – die Hälfte des Schuldendienstes ausmachen.[51]

Die öffentlichen oder öffentlich garantierten Schulden der Entwicklungsländer betrugen 1969 etwa 60 Milliarden Dollar. Der jährliche Schuldendienst von 81 Entwicklungsländern hatte 5,3 Milliarden Dollar erreicht.[52] Mit etwa 15 Prozent im Jahr wächst er etwa doppelt so schnell wie die Exporterlöse, und bei immer mehr Ländern erreicht der Schuldendienst die kritische Grenze von 20 Prozent der Exporterlöse.

Ohne eine Wende der Handelspolitik wird auch verstärkte Entwicklungshilfe verpuffen: der Verlust jedes weiteren Prozents am Welthandel bedeutet für die Entwicklungsländer derzeit soviel wie 20 Prozent des gesamten Kapitaltransfers aus westlichen Industrieländern.[53]

9. Die Rolle der Entwicklungshilfe

Von der Familienplanung bis zum Außenhandel, von der Bildung bis zur gesellschaftlichen Veränderung sind die Entwicklungsländer im wesentlichen auf sich selbst angewiesen.

Das war schon bisher so. Durchschnittlich wurden nur zehn Prozent der Investitionen und 20 Prozent der Importe der Entwicklungsländer aus Mitteln der Entwicklungshilfe, also aus Zuschüssen und »weichen« Krediten finanziert.[54] Der Rest muß durch Exporte von Gütern und Dienstleistungen verdient und, wo es sich um kommerzielle Kredite handelt, an die Exporteure und Investoren der Industrieländer in harter Währung verzinst und zurückgezahlt werden. Entscheidend für Erfolg oder Mißerfolg der Entwicklungsländer ist also, was sie selbst aufbringen können und wie sie es verwenden. 15 Prozent durchschnittliche Sparquote bedeutet für die Entwicklungsländer einen eindrucksvolleren Konsumverzicht als 21 Prozent von dem zehnmal so hohen Pro-Kopf-

Einkommen der Industrieländer. Bis 1980 wollen die Entwicklungsländer sogar 20 Prozent ihres Einkommens sparen.[55]
Für die Industrieländer sind die 0,35 Prozent des Sozialprodukts für Entwicklungshilfe ebensowenig ein spürbarer Verzicht wie eine auf 0,7 Prozent des Sozialprodukts verdoppelte Entwicklungshilfe. Was sind etwa 2,5 Milliarden DM, was sind fünf Milliarden bei einem Sozialprodukt der BRD von 680 Milliarden, bei Investitionen von 180 Milliarden DM? Aber eine solche Verdoppelung der Entwicklungshilfe der Industrieländer könnte den Entwicklungsländern um zehn Prozent höhere Investitionen oder ihren Menschen ein um etwa 1,5 Prozent höheres Einkommen ermöglichen. Das könnte gerade der wichtige Unterschied zwischen Stillstand und Fortschritt sein, das könnte die Durststrecke überwinden helfen, bis das Bevölkerungswachstum nennenswert verlangsamt werden kann.
Solche Erfolge bringt Entwicklungshilfe aber nur dann, wenn sie eigenen Anstrengungen der Entwicklungsländer zum Durchbruch verhilft, und zwar da, wo die Entscheidungen fallen. Es kommt auf die Schwerpunkte und die Qualität der Instrumente an.
So wichtige Entwicklungsländer wie Indien, Pakistan oder Indonesien sind heute zu 30 bis 35 Prozent auf den Devisenzustrom der Entwicklungshilfe angewiesen.[56] Wir müssen damit rechnen, daß die wachsende Schuldenlast weitere Länder in eine ähnliche Lage bringt. Auch bei kleineren Ländern, die übrigens einen relativ hohen Anteil der Entwicklungshilfe erhalten, können sich die Industrieländer nicht unter Hinweis auf die Marginalität ihrer Hilfe aus der Verantwortung stehlen.
Erfolge auf Teilgebieten wie Landwirtschaft, Verkehr oder Energie zeigen, daß von der Entwicklungshilfe kräftige Impulse ausgehen, die Tempo und Richtung des Fortschritts bestimmen können, auch wenn die Zahlen nicht sehr imponierend sind.
Allzuoft hat die Entwicklungshilfe aber Programme der Entwicklungsländer gefördert, die an den Grundbedürfnissen der Menschen vorbeigingen. Zuweilen hat ihr Einfluß – man

denke an das Bildungswesen, an die Verdrängung arbeitsintensiver Produktionsmethoden oder an die Lieferbindung von Krediten – sogar knappe Mittel der Entwicklungsländer fehlgeleitet.

Manche Zyniker von rechts fühlen sich dadurch in ihren Vorurteilen gegen die Entwicklungsländer bestätigt. Manche Zyniker von links wollen deswegen lieber ganz auf die Entwicklungshilfe verzichten. Beide übersehen, daß die Industrieländer – nicht nur durch Entwicklungshilfe, aber auch durch sie –, ob sie wollen oder nicht, das Schicksal der Entwicklungsländer mitbestimmen. Eigenanstrengungen und Entwicklungshilfe können nur noch gemeinsam scheitern oder gemeinsam erfolgreich sein.

IV. Instrumente

1. Anfänge und Kinderkrankheiten unserer Entwicklungshilfe

Am Anfang der deutschen Entwicklungshilfe stand weder ein innerer Aufbruch der Deutschen noch eine ausgefeilte Hilfs-Strategie, sondern Impulse von außen und – sehr viel Zufall.

Nachdem Präsident Truman sein »Punkt-Vier-Programm« im Jahre 1949 verkündet hatte, lag der Gedanke nahe, daß auch die europäischen Länder, die der Marshallplan wieder auf die Beine gebracht hatte, sich an dieser neuen Last der USA beteiligen sollten. Von einem Gespräch, das ich im Spätsommer 1962 zusammen mit anderen Mitgliedern von Henry Kissingers internationalem Seminar mit Präsident Kennedy führen konnte, ist mir noch die Mahnung in Erinnerung, einige europäische Länder neigten dazu, sich vor dieser gemeinsamen Aufgabe zu drücken. Gemeint waren vor allem die inzwischen wieder wohlhabend gewordenen Deutschen.

Diese Deutschen waren darüber keineswegs nur unglücklich. Einige von ihnen empfanden es als moralische Erleichterung, daß sie nun endlich an einer Anstrengung teilnehmen konnten, die ganz offenbar zu den sinnvolleren und angeseheneren der Zeitgeschichte gehörte; sie waren froh, helfen zu können, nachdem man ihnen geholfen hatte. Wichtiger war wohl die Chance, die sich der Bundesrepublik Deutschland damit bot, in die internationale Politik zurückzukehren. Schließlich ließ sich Entwicklungshilfe auch da verwenden, wo jemand mit dem Gedanken spielen sollte, die DDR anzuerkennen. Und im übrigen könnte auch der Export von alledem profitieren. Die Entwicklungsländer wurden die »Märkte von morgen«, ohne daß hinzugefügt wurde, daß sie unser Markt nur in dem Maße werden konnten, wie wir bereit waren, ihr Markt zu werden.

Niemand konnte erwarten, daß sich nun sofort ausgereifte Projekte anboten. Die Entwicklungshilfe hat nach 15 Jahren

Arbeit noch manches dazuzulernen, wie hätte sie dann sofort mit einem Konzept aufwarten sollen?
Zwar galt das Antragsprinzip, wonach die Projektprüfung erst begann, wenn ein Entwicklungsland einen präzisen Wunsch übermittelt hatte. Aber in den frühen 60er Jahren taten sich die Verwaltungen in manchem Entwicklungsland noch schwer mit der formgerechten Abfassung eines Projektantrages, und so war die eine oder andere Regierung nicht unglücklich, wenn eine deutsche Firma oder Interessengruppe ein wenig nachhalf. Schließlich wußten diese Leute am besten, was bei deutschen Ministerien Aussicht auf Erfolg hatte. Wenn dann schon Wirtschaftlichkeitsberechnungen oder Bestellisten beilagen, um so besser. Oft spielte auch die persönliche Vorliebe des einen oder anderen Referenten für ein Land oder einen Sektor mit. Bei der Technischen Hilfe suchte man gelegentlich ein Projekt für einen oder mehrere Experten, die sich zur Verfügung gestellt hatten. Aus der Korrespondenz eines einstigen Stipendiaten mit seinem deutschen Doktorvater entstand eine Universitätspartnerschaft, fein ordentlich als Regierungsantrag in Bonn vorgelegt.
Die Botschaften, von denen eine erste Stellungnahme erwartet wurde, waren ebenfalls überfordert. Natürlich neigt ein Botschafter dazu, der Regierung seines Gastlandes einen Gefallen zu tun. Schließlich ist es seine Aufgabe, für gute Beziehungen zu sorgen. Und wenn dabei ein bißchen Öffentlichkeitsarbeit abfällt bei Einweihungen und Besichtigungen, um so besser.
Bei alledem wundert man sich, wie viele vernünftige Projekte trotz allem zustande kamen. Eine technische Schule, deren Absolventen entsprechende Arbeitsplätze finden, ist nie verfehlt, aus welchen Motiven auch immer sie entstanden sein mag. Und die wenigen landwirtschaftlichen Mustergüter, die von den entmutigten Bauern der Umgegend fassungslos bestaunt, aber natürlich nicht nachgeahmt wurden, mußten rasch Genossenschaften oder Agrarberatungsprojekten weichen. Die Neigung zu spektakulären Stahlwerken ließ rasch nach, weil das Risiko zu groß war. Und die Glanzidee, mit veralteten, abgeschriebenen deutschen Textilmaschinen Fabriken in Afrika zu errichten, hat einigen deutschen Unternehmern sehr viel weniger Nutzen als dem Steuerzahler Schaden verursacht, so

daß man auch davon rasch wieder abkam. (Ein Empfängerland mußte die Preise für die eigenen Baumwollerzeuger drastisch herabsetzen, weil sonst die Waren der Fabrik völlig unerschwinglich geworden wären: soviel verschlang die Unterhaltung der ehrwürdigen Veteranen der Textil-Technologie.)
Auch die Zeiten, wo ein afrikanisches Staatsoberhaupt beim Staatsbesuch so von unseren »weißen Mäusen« begeistert war, daß er solche als Entwicklungshilfe beantragte und dann erhielt, dauerten nicht allzu lange, zumal die Motorräder, aus politischen Gründen gewährt, dann doch einen DDR-Minister eskortieren durften.
Schließlich dürfte es auch kaum noch vorkommen, daß angehende Elektroingenieure in einer von uns errichteten Ingenieurfakultät an deutschen Schukosteckern ausgebildet werden, die in ihrem Land nur einmal, nämlich in der Hochschule, vorkommen.
Dies war sicher nicht der einzige Fall, wo unsere Maßstäbe zu selbstverständlich auf Entwicklungsländer übertragen wurden. Gerade in der Bildungshilfe brauchte es einige Zeit, bis man einsah, daß unser Bildungssystem, von dessen segensreicher Wirkung für das eigene Land heute nicht mehr alle überzeugt sind, anderswo noch weniger geeignet sein könnte.
Schließlich brauchten wir ein Jahrzehnt, um zu begreifen, daß ein Starren auf ökonomische Wachstumszahlen schließlich sogar das Wirtschaftswachstum gefährden kann. Am Beispiel Pakistan mußten viele lernen, daß Wirtschaftswachstum, wenn es nicht begleitet ist von sozialem Fortschritt, durch soziale und politische Krisen wieder verspielt wird.
Was bei allen Verbesserungen unbefriedigend blieb, war die Tatsache, daß auch gute Projekte keine große Wirkung hatten, wenn sie nicht in eine Gesamtplanung eingefügt waren. Straßen, auf denen nur selten ein Lastwagen fuhr, weil die erwarteten Fabriken nicht gebaut wurden, technische Schulen, deren Abgänger keine adäquate Arbeit fanden, Landwirtschaftsprojekte, deren Überschußproduktion keine kaufkräftigen Abnehmer oder keine Transportmittel zum Markt fanden, mögen als Beispiele dafür dienen.
Doch der geringe Erfolg der Ersten Dekade geht nicht nur

auf irrationale Entscheidungen der Industrieländer zurück. Nationalistisches Prestigedenken und unzureichende Verwaltung in den Entwicklungsländern haben auch ihren Anteil daran.

Führungsschichten, die zwar moderne Gesetze machten, aber weder willens noch in der Lage waren, sie durchzusetzen, haben nicht immer den besten Gebrauch von Entwicklungshilfe gemacht. Wo sozialreformerischer Geist da war, fehlte die administrative Kapazität, um daraus praktische Politik zu machen.[57] So erwies es sich als nötig – national wie international –, ein Konzept, eine Strategie zu erarbeiten, die einen wirksameren Einsatz der Mittel garantierte.

2. *Technische Hilfe und Bildungshilfe*

Technische Hilfe hat keineswegs immer mit Technik im strengen Sinn des Wortes zu tun. Diese international übliche Bezeichnung umfaßt alle personelle Hilfe, ob sie nun in einer Lehrlingswerkstatt oder bei der Suche nach Grundwasser, bei der Beratung einer Entwicklungsbank oder beim Anlernen von Krankenpflegern, beim Erstellen eines Verkehrsplans für eine Großstadt oder bei der Beratung von Kleinbauern geleistet wird. Technische Hilfe kann nicht mit großen Zahlen aufwarten, wenn auch ihr Anteil an der öffentlichen Hilfe rasch zunimmt. Die Verpflichtungsermächtigungen (Zusagen) für die Technische Hilfe betrugen 1968 274,5 Millionen DM, 1971 sind es 474 Millionen DM.

Wenn Entwicklungshilfe andern Völkern helfen soll, ihren eigenen Weg, ihre eigenen Formen der Produktion und der Organisation zu finden, so ist der Experte der Technischen Hilfe nicht dazu berufen, sein Wissen einfach zu übertragen, sondern mit Hilfe seines Wissens gemeinsam mit den Menschen des Entwicklungslandes Arbeitsmethoden zu suchen, die dem Lande angemessen sind. Unter den heute laufenden 785 Projekten der staatlichen Technischen Hilfe sind nur noch wenige, die von vornherein falsch ausgelegt wurden. Wo ein Projekt nicht funktioniert, fehlt es oft an der Zusammenarbeit mit den Behörden des Gastlandes, oft ist ein Projektleiter überfordert, wenn er die Nerven und die Geduld aufbringen muß, immer neue – für ihn unverständliche – Hindernisse zu überwinden und gleichzeitig seinen deutschen und einheimischen Kollegen mit der freundlichen Festigkeit gegenüberzutreten, ohne die ein Projekt zu einem Netz von Querelen und Ressentiments werden kann. Dabei wundert mich nicht, daß der eine oder andere scheitert, mich wundert allenfalls, wie viele Experten sich in solchen Aufgaben bewähren. Daß die Ausbildung der Experten etwas mehr bieten muß als Sprachen und Sachwissen, ist inzwischen allgemein erkannt. Wo ein Experte scheitert, geschieht dies ganz selten, weil er seine Arbeit nicht versteht, sondern weil andere ihn nicht verstehen und er die anderen nicht.

Wir haben gesehen, daß für die meisten Entwicklungsländer die Entscheidung für die nächsten Jahre auf dem Lande fällt. Nur wenn es gelingt, die Menschen auf dem Lande festzuhalten, erhalten die Städte die Atempause, die sie zu ihrer Entfaltung brauchen. Diesem Zweck dient das Tarquist-Projekt der Technischen Hilfe in Marokko, das ich im Mai 1971 besuchte. Als Projektziel wird angegeben: »Modernisierung der Land- und Forstwirtschaft in einem Landkreis des zentralen Rif-Gebirges.« Zu Beginn der 60er Jahre hatten FAO-Experten einen Gesamtplan für ein Gebiet von 18 000 Quadratkilometern im westlichen Rif-Gebirge ausgearbeitet, das zu den ärmsten Gegenden Marokkos gehört. Dort ist die Bevölkerungsdichte doppelt so hoch wie im Landesdurchschnitt, das Pro-Kopf-Einkommen dafür nur knapp die Hälfte. Je mehr die Bevölkerung anwuchs (um 3,4 Prozent im Jahr), desto höher hinauf versuchten die Bauern ihre Felder zu bestellen, desto steiler wurden die angebauten Hänge, desto unbarmherziger die Erosion.

Was auf der ausgelaugten Krume dieser Steilhänge an Weizen noch wächst, gibt allenfalls noch den Samen für das nächste Frühjahr. Und nachdem Menschen und Ziegen in gemeinsamer Anstrengung auch den Wald auf den Gipfeln zerstört haben, reißt das Wasser jedes Jahr tiefere Rinnen in den roten Lehm. Wer mit dem Flugzeug über der Mündung des Nekor-Flusses kreist, kann an einem kilometerbreiten roten Fleck im blauen Mittelmeer ablesen, was mit der fruchtbaren

Erde der Rif-Bauern geschieht. Jährlich gehen zwei Prozent der bebauten Böden verloren, die Hälfte in 25 Jahren. Ein Circulus vitiosus: je mehr die Bauern Land suchen, desto weniger bleibt ihnen in einer Gegend, wo zwei Drittel allen Bodens eine Neigung von mehr als 25 Prozent haben. Wo kein Wasser mehr zurückgehalten wird, zerstören die Fluten schließlich auch die flußabwärts gelegenen Ebenen.
Hier setzte das deutsche Projekt an. Nach Auswahl des Projektgebietes – 3 400 Hektar, seit 1971 weitere 5 000 Hektar – begannen die deutschen Fachleute mit der Bekämpfung der Erosion. Ganz oben wurden unter ihrer Anleitung 200 Hektar aufgeforstet, und jeder, der eine Ziege abgab, erhielt dafür ein Schaf – für beide Teile ein guter Handel. Nach dem Muster der alten Römer wurden in den Ravinen Steine zu kleinen Mauern geschichtet, um das herabstürzende Wasser zu stauen und ihm die Kraft zu nehmen. Flußbette wurden reguliert.
Das Rezept ist einfach: oben der Wald, in der Mitte Baumkulturen, vor allem Mandelbäume (inzwischen sind 51 000 Mandelbäume gepflanzt), in den Tälern intensive Landwirtschaft. Die Bauern des Rif-Gebirges sehen nicht nur, daß mit Kunstdünger bessere Ernten zu erzielen sind, durch ein Kreditprogramm können sie sich diesen Dünger auch leisten. Sie lernen neues Saatgut kennen und anwenden, ihre Schaf-, Rinder- und Kaninchenrassen werden aufgebessert, und sie lernen, daß bei Anbau von Viehfutter eine größere Menge davon gefüttert werden kann. Ab 1972 sollen die Ergebnisse dieses Experiments für eine ganze Provinz ausgenutzt werden.
Natürlich läßt sich auch gegen dieses Projekt einiges einwenden. Ginge es nur um die wirtschaftliche Wachstumsrate, so wären die 6,9 Millionen DM, die von 1968 bis 1973 in dieses Projekt gesteckt werden, anderswo besser eingesetzt. Auch wenn die Bauernfamilien ihre Einkommen steigern können, schlägt dies gesamtwirtschaftlich kaum zu Buch. Anders sieht es aus, wenn nach Arbeitsplätzen gefragt wird. Während ein industrieller Arbeitsplatz in der Stadt etwa 20 000 Dirham kostet, sind im Rif-Gebirge nur 2 500 Dirham nötig, um eine bäuerliche Existenz zu erhalten und zu verbessern.
Sicher, eines Tages wird sich wieder die Frage stellen, wo die

überzähligen Bauernkinder ihr Brot finden sollen. Vielleicht wird es dann einen industriellen Arbeitsplatz geben. Gegenwärtig aber ist die Alternative zum Bauernhof in den Bergen die Arbeitslosigkeit in den Städten.

Innerhalb der personellen Hilfe nimmt die Bildungshilfe an Gewicht zu. Sie reicht heute schon von der Umstrukturierung von Primarschulen über Bildungsfernsehen bis zur Universitätspartnerschaft, von der technischen Schule über den Landfunk bis zu Erwachsenenbildung
Häufig sind es scheinbar kleine – und daher billige – Projekte, die den größten Erfolg haben. Da wurde im März 1970 der Lehrer Erich Avemann als Berater für das peruanische Erziehungsministerium tätig, nicht in Lima, sondern im 900 Kilometer entfernten und 3400 Meter hohen Andengebiet. Avemann hatte acht Jahre lang am Colegio Alexander von Humboldt in Lima gearbeitet und daneben Lese- und Rechenbücher für peruanische Primarschulen geschrieben, peruanische Studenten in Didaktik unterrichtet und an der Universität San Marcos mitgeholfen, Lehrer aus Bergdörfern auszubilden, deren Bevölkerung nur Quechua sprach.
Jetzt reformiert Avemann den Unterricht in diesen Dörfern. Ziel ist, die quechua sprechenden Indiokinder so in das Spanische einzuführen, daß sie sich ohne abrupten Bruch mit ihren überlieferten Gewohnheiten in die moderne Arbeitswelt finden. Dabei betreut der deutsche Experte den Schulbezirk Quinua, wo sich um eine Art Mittelpunktschule eine Anzahl kleinerer Schulen schart. Daneben hat Avemann eine Abendschule in Quinua eingerichtet, an der schon 90 Erwachsene teilnehmen. Die sechs Schulbücher Avemanns sind im einfachen Vervielfältigungsverfahren hergestellt, wenig ansehnlich, aber entsprechend billig. Und sie scheinen so an der Umwelt der Kinder orientiert zu sein, daß sie nicht von der Arbeitswelt weg, sondern in sie hineinführen.
Aus dem Schulbezirk ist ein Beispielprojekt geworden (plan piloto), und schon liegen Anfragen aus fünf weiteren Schulbezirken der Provinz vor. Die peruanische Regierung hat zu verstehen gegeben, daß sie an einer Erweiterung des Projekts interessiert sei.

3. *Multilaterale Hilfe*

23 Prozent der staatlichen Entwicklungshilfe, also 496,9 Millionen DM, sind 1970 den Entwicklungsländern über unsere Beteiligungen und Beiträge zu internationalen Organisationen zugeflossen.

An erster Stelle steht unsere Beteiligung an der Weltbankgruppe, zu der die Weltbank mit ihren Tochtergesellschaften, der Internationalen Finanzkorporation (IFC) und der Internationalen Entwicklungshilfeorganisation (IDA) gehören. Die Bankgruppe hat die Aufgabe, den Mitgliedstaaten durch die Gewährung von Anleihen zu helfen. Die Anleihen und Investitionszusagen der Weltbank betrugen im Geschäftsjahr 1969/70 2,3 Milliarden Dollar. Die Weltbank übernimmt darüber hinaus in der Entwicklungshilfe Leitfunktionen, zumal sie sich inzwischen von dem begrenzten Konzept des wirtschaftlichen Wachstums freigemacht hat. Mit einem Anteil von 5,02 Prozent am Grundkapital der Bank von rund 23 Milliarden gehört die Bundesrepublik Deutschland mit den USA und Großbritannien zu ihren drei größten Anteilseignern. Zu den 3230 Millionen Dollar, die der IDA in den Jahren 1960 bis 1970 für Anleihen zu besonders günstigen Bedingungen zur Verfügung standen, trug die Bundesrepublik Deutschland 243 Millionen Dollar bei.

Die Bundesrepublik Deutschland beteiligt sich ferner mit 34 Millionen Dollar am Grundkapital der Asiatischen Entwicklungsbank, die der Förderung der asiatischen Länder dient, soweit sie Mitglieder der Regionalkommission der Vereinten Nationen für Asien und den Fernen Osten sind. Am Sonderfonds der Asiatischen Entwicklungsbank wird sich die Bundesrepublik Deutschland in den Jahren 1971 bis 1974 mit insgesamt 64 Millionen DM beteiligen. Am Europäischen Entwicklungsfonds (EEF), zu dem die sechs EWG-Staaten im Rahmen des Zweiten Jaunde-Abkommens 3294 Milliarden DM beitragen, beteiligt sich die Bundesrepublik Deutschland mit rund 33 Prozent. Der Fonds, der von der Kommission der Europäischen Gemeinschaften verwaltet wird, kommt den 18 afrikanischen Staaten südlich der Sahara und Madagaskar zugute, die historisch besonders enge Bindungen zu den Ländern der Gemeinschaft haben. Aus dem Fonds können Subventionen, Kredite und Kapitalbeteiligungen bereitgestellt werden. Bisher wurde daraus vor allem Infrastruktur finanziert, und zwar in Form von Zuschüssen.

Zu dem Entwicklungsprogramm der Vereinten Nationen (UNDP) trägt die Bundesrepublik Deutschland im Jahre 1971 48 Millionen DM bei. UNDP gewährt den Entwicklungsländern Technische Hilfe und bedient sich dabei der Fachorganisationen der Vereinten Nationen. Im UNDP beraten Industrie- und Entwicklungsländer gemeinsam über das Programm, das 1971 einen Umfang von 300 Millionen Dollar hat.

Die Bundesrepublik Deutschland unterstützt die Fachorganisationen der Vereinten Nationen auch durch direkte Zuschüsse, die überwiegend den Entwicklungsländern zugute kommen. Die Welternährungsorganisation (FAO) hat zum Beispiel mit den von ihr entwickelten Weizen- und Reissorten zu der »Grünen Revolution« beigetragen, die Internationale Arbeitsorganisation (ILO) befaßt sich intensiv mit der Schaffung von Arbeitsplätzen. Die Organisation der Vereinten Nationen für Erziehung, Wissenschaft und Kultur (UNESCO) erarbeitet neue Lehr- und Lernmethoden, die den Bedingungen in den Entwicklungsländern angepaßt sind. Die Weltgesundheitsorganisation (WHO) hat bei der Bekämpfung von Malaria, Cholera, Gelbfieber und anderer Seuchen große Erfolge erzielt. Auch die anderen Fachorganisationen, an denen die Bundesrepublik Deutschland personell und finanziell beteiligt ist, wie die Organisation der Vereinten Nationen für industrielle Entwicklung (UNIDO), sind auf dem Gebiet der Entwicklungshilfe tätig. Dem Weltkinderhilfswerk (UNICEF), das sich längst nicht mehr auf karitative Aktionen beschränkt, sind 1970 aus der Bundesrepublik Deutschland 7,5 Millionen DM zugeflossen.

Seit 1970 hat sich die Bundesrepublik Deutschland mit insgesamt elf Millionen DM am Bevölkerungsfonds der Vereinten Nationen beteiligt, in dessen Beirat UN-Generalsekretär U Thant den Verfasser berufen hat. Der Fonds, der von der Administration des UNDP verwaltet wird, hat sich im Bereich der Familienplanung drei Aufgaben gesetzt: Er will deutlich machen, wie unausweichlich Familienplanung geworden ist. Er will die Anstrengungen, die heute schon von den einzelnen Regierungen und den internationalen Organisationen unternommen werden, koordinieren und will schließlich mit eigenen Mitteln einspringen, wo der Wille und die Organisation, nicht aber das Geld vorhanden ist.

Gerade bei der Familienplanung, wo nationale Ressentiments leichter zu wecken sind als auf jedem anderen Feld, haben die Vereinten Nationen eine Chance. Daher sollte dieser Fonds rascher wachsen als andere ihrer Aktivitäten.

Multilaterale Projekte unterscheiden sich wenig von bilateralen. Allerdings haben einzelne UN-Organisationen auf ihrem Gebiet Erfahrungen gesammelt, die den Verwaltungen in Industrieländern nicht immer zur Verfügung stehen. So hat zum Beispiel die internationale Arbeitsorganisation zu einer Zeit, als alle Welt nur von Wachstumsraten sprach, schon Projekte angepackt, die neue Arbeitsplätze schaffen oder die Landflucht eindämmen sollten.

Ein solches Projekt, das zwischen 6000 und 8000 Menschen erreichen soll, wurde Anfang 1969 in Nigeria, 40 Kilometer nördlich von Lagos, begonnen. Ziel des Projektes ist, Bauern beim Anbau von Mais, Reis und Kassava zu beraten und ihnen bei der Verarbeitung von Feldfrüchten zu helfen, damit sie höhere Preise auf dem Markt erzielen können. Daneben werden Handwerker ausgebildet im Bauwesen, in der Holz- und Metallverarbeitung. Diese Handwerker werden auch in der Gründung von Genossenschaften unterwiesen. Auch Schulabgänger und arbeitslose Jugendliche können ein Handwerk lernen. Schließlich werden im Projektgebiet Straßen und Brücken von der Bevölkerung in Selbsthilfe ausgebaut.

Interessant ist dieses Projekt insofern, als hier verschiedene Organisationen der UN-Familie mitarbeiten. Die landwirtschaftliche Beratung besorgt die Welternährungsorganisation, das Weltkinderhilfswerk stellt die Geräte für sechs Werkstätten (Schlosserei, Klempnerei, Tischlerei), während die ILO die Gesamtleitung hat. Die nigerianische Regierung stellt Hilfspersonal, Land und Gebäude für die Werkstätten und Unterkünfte für die Experten. Projektleiter ist ein Engländer, sein Stellvertreter ein Deutscher, aber auch ein holländischer und ein indischer Experte sind beteiligt. Wenn das Projekt Ende 1971 abgeschlossen ist, dürfte im »Western State« etwas angestoßen sein, was weiter wirkt und andere ermutigt.

Es hat in der Bundesrepublik Deutschland lange Zeit eine kaum verhohlene Abneigung gegen multilaterale Hilfe gegeben. Man zahlte, weil andere, vor allem die Amerikaner, auch zahlten und unseren Beitrag erwarteten. Aber man zahlte mit hörbarem Grollen nach der Devise: keine Mark mehr als unbedingt nötig. Inzwischen haben viele erkannt, daß ein aktives Mitspielen in den internationalen Organisationen auch außenpolitisch immer wichtiger wird. Multilaterale Hilfe wird auch von den Entwicklungsländern honoriert, und zwar um so mehr, je empfindlicher die öffentliche Meinung in diesen Ländern auf bilaterale Hilfe reagiert. Wenn die USA heute sehr rasch auf multilaterale Hilfe umschalten, so einfach deshalb, weil ihre bilaterale mehr Ärger als Sympathie erzeugt hat.

Auch wenn dies auf die deutsche Hilfe noch nicht zutrifft, so tun wir doch gut daran, mit einem wachsenden Anteil multilateraler Hilfe zu rechnen. Der fast scholastisch anmutende Streit um die Vorteile der bilateralen und multilateralen Hilfe dürfte sich von selbst erledigen: keiner kann von heute auf morgen die bilaterale Hilfe zugunsten der multilateralen abschaffen, dazu fehlt den internationalen Organisationen die Kapazität; aber keiner wird auch verhindern können, daß Entwicklungshilfe auf die Dauer politisch nur erträglich sein wird als gemeinsame internationale Anstrengung.

4. Kapitalhilfe

Wenn heute mehr als die Hälfte der deutschen Entwicklungshilfe in Form von Zuschüssen vergeben wird, so zeigt sich, daß die Kapitalhilfe, also die Kredithilfe, relativ an Bedeutung eingebüßt hat, wenn sie auch vom finanziellen Volumen her noch den weitaus größten Teil unserer Entwicklungshilfe ausmacht. Während der Schwerpunkt unserer

Technischen Hilfe in den Ländern liegt, wo erst die Basis für einen Kapitaleinsatz geschaffen werden muß (46,4 Prozent der Zusagen an Technischer Hilfe im engeren Sinne gingen im Jahr 1970 nach Afrika), liegt der Schwerpunkt der Kapitalhilfe in den Ländern Asiens (52,2 Prozent der Darlehensverträge über Kapitalhilfe wurden 1970 mit asiatischen Ländern geschlossen, vor allem mit Indien, Pakistan, Indonesien und der Türkei).

Die meisten Kredite werden für den Ausbau der Infrastruktur gegeben: Straßen, Eisenbahnen, Brücken, Häfen, Flughäfen, Staudämme, Wasserversorgungen. Seltener werden Fabriken finanziert, meist für Düngemittel, Textilien oder Zucker. Etwa ein Zehntel läuft über Entwicklungsbanken. Ein erheblicher Anteil wird für »Warenhilfe« ausgegeben, meist sind es Zulieferungen von Rohstoffen und Ersatzteilen für bereits laufende Industrieanlagen.

Während in Deutschland mancher in dem Glauben lebt, wir vergäben Geld, mit dem jedermann nach Gutdünken schalten – oder auch nicht schalten – könne, klagt man im Ausland eher über das langwierige Verfahren vom ersten Projektantrag bis zum Baubeginn, über die allzu große Zahl von Vorstudien und »feasability« – (Durchführbarkeits-) – Studien, bis schließlich die Kreditanstalt für Wiederaufbau (KfW) vom interministeriellen Referentenausschuß (IRA) mit der Abwicklung beauftragt wird. Nicht zuwenig, eher zuviel Sorgfalt wird der deutschen Verwaltung vorgeworfen.

Ursprünglich glaubten unsere Ökonomen, auch in Entwicklungsländern müsse der Zins eine erzieherische Wirkung haben. So jedenfalls wurden die hohen Zinsen für die Kredite in der ersten Hälfte der 60er Jahre begründet, die viel zur ernsten Verschuldung einiger Entwicklungsländer beigetragen haben. 1969 war es dann die Bundesrepublik Deutschland, die in der OECD für bessere Konditionen eintrat, und seither werden unsere Kredite im Normalfall für 2,5 Prozent Zins bei 30 Jahren Laufzeit und acht tilgungsfreien Jahren vergeben. Das bedeutet, verglichen mit Marktkonditionen, zu zwei Dritteln geschenkt.

Auch die Lieferbindung (die Bindung eines Kapitalhilfekredits an Lieferungen aus der Bundesrepublik Deutschland) ist seither rasch abgebaut worden (von 57 Prozent im Jahr 1967 auf 26 Prozent im Jahr 1970), weil sie für gebundene Kredite im Durchschnitt um 20 Prozent weniger an Leistung erhalten als für ungebundene, bei denen der Anbieter sich internationaler Konkurrenz stellen muß.

Eine größere Zahl von Kapitalhilfeprojekten steht in Tunesien, in einem Land, das darunter leidet, daß es abwechselnd zuviel und zuwenig Wasser hat, ein Land, wo Wassernot und Wassersnot sich abwechseln. Hier setzt auch ein Projekt der Kapitalhilfe an, das die Stadt Tunis vor Hochwasser schützen soll. Noch 1964 hatte der Miliane-Fluß eine Fläche von 95 Quadratkilometern überschwemmt, darunter auch die südlichen Teile der Hauptstadt, und Schäden in Höhe von 17 Millionen DM verursacht. Beim nächsten Hochwasser, im Oktober 1969, war der Bau der Talsperre schon so weit fortgeschritten, daß der Versicherungsschaden am Bauwerk sich in Grenzen hielt.

Heute fährt man von Tunis aus eine halbe Autostunde nach Südwesten, entlang einem römischen Aquädukt, bis zur Talsperre Bir M'Cherga in der Nähe der Römerstadt Thuburbo Majus. Ein Damm von 1300 Meter Länge kann bis zu 200 Millionen Kubikmeter Wasser stauen und sie gleichmäßig abfließen lassen. Von einem 44 Meter hohen Entnahmeturm kann Wasser aus unterschiedlichen Tiefen entnommen werden. Dadurch läßt sich der Salzgehalt des Wassers in den verschiedenen Tiefen feststellen, denn – und hier liegt eines der Probleme Tunesiens: auch dieses Wasser ist salzhaltig. Nun versucht man, weniger salzhaltige Strömungen abzuleiten, mit bessserem Wasser zu mischen und zur Bewässerung der Felder auf der Halbinsel Cap Bon zu verwenden.

Was hier von einer französischen Consulting und einer deutschen Baufirma (unter tunesischer Gesamtleitung) mit 14 Millionen DM Kapitalhilfe erstellt wurde, würde sich auch dann bezahlt machen, wenn dadurch nur die Überschwemmungen ein Ende hätten. Aber dabei wird es sicher nicht bleiben.

5. Sonstige Hilfsformen

Es ist hier nicht meine Aufgabe, alle Hilfsformen und alle Instrumente darzustellen, deren sich die staatliche Entwicklungshilfe bedient, von der Praktikantenausbildung (bis Ende 1970 wurden in der Bundesrepublik Deutschland etwa 51 000 Fachkräfte aus Entwicklungsländern ausgebildet, meist sogenannte »Counterparts«, die unsere Experten der Technischen Hilfe ablösen sollen) über die Sozialstrukturhilfe, die unmittelbar bei den Unterprivilegierten ansetzt, bis zur Handelshilfe, die den Exporteuren der Entwicklungsländer den Weg auf den deutschen Markt erleichtern soll.
Auch eine Darstellung der in Quantität und Qualität beachtlichen Leistungen der Kirchen und privater Organisationen (z. B. der Kübel-Stiftung) würde den Rahmen dieses Buches sprengen. Auch ist hier nicht der Ort, die Arbeit der Deutschen Stiftung für Entwicklungsländer mit ihren vier Zentralstellen (für Auslandskunde, für gewerbliche Bildung, für Landwirtschaft und für Verwaltung) zu schildern, auch nicht die Anstrengungen der politischen Stiftungen (Friedrich-Ebert-Stiftung, Konrad-Adenauer-Stiftung, Friedrich-Naumann-Stiftung) bei der Beratung von Gewerkschaften, Genossenschaften und anderen Gruppen, und vor allem nicht die ausgedehnte Arbeit des Deutschen Entwicklungsdienstes (DED), die von vielen unserer Mitbürger mit der personellen Hilfe überhaupt gleichgesetzt wird.
Aber vielleicht ist ein Wort angebracht über die Vielfalt des Instrumentariums, zumal immer wieder gefordert wird, »den Dschungel der Organisationen in der Entwicklungshilfe« zu lichten. Solange jede Organisation sich an ihre Spezialaufgabe hält, ist gegen eine Vielfalt von Organisationen nichts einzuwenden. Ausbildung von Praktikanten aus Entwicklungsländern, mit der sich die Carl-Duisberg-Gesellschaft befaßt, ist etwas anderes als die Vorbereitung deutscher Experten auf ihre Aufgabe. Fachseminare für Führungskräfte aus Entwicklungsländern (wie sie die Deutsche Stiftung in Berlin veranstaltet) sind etwas anderes als die gesellschaftspolitischen Seminare, die von der Friedrich-Ebert-Stiftung in La Catalina (Costa Rica) durchgeführt werden. Und die

Förderung von Privatinvestitionen, mit der sich die Deutsche Entwicklungsgesellschaft in Köln (DEG) befaßt, ist etwas anderes als die wissenschaftliche Forschungsarbeit, die vom Entwicklungsinstitut in Berlin geleistet wird.

Solange Überschneidungen und Kompetenzkämpfe verhindert werden können, liegen in der Vielfalt auch Vorteile: es lassen sich Mammut-Apparate verhindern, die einzelnen Organisationen bewegen sich im Ausland leichter, wenn sie nicht als staatliche Funktionäre auftreten, sie finden auch besseren Kontakt mit verwandten Gruppen.

In der Entwicklungshilfe begegnen sich nicht primär staatliche Bürokratien, sondern Gesellschaften, und es wäre weder angemessen noch nützlich, wenn sich unsere Gesellschaft dabei geschlossener, einheitlicher darstellen wollte, als sie tatsächlich ist. Deshalb scheint mir die Aufgabe der staatlichen Instanzen (besonders des Bundesministeriums für wirtschaftliche Zusammenarbeit) nicht in der Gleichschaltung zu bestehen, sondern in der Lenkung, Abgrenzung und Koordinierung.

Man mag einwenden, daß ein Freiwilligendienst wie der DED doch gelegentlich Ärger verursacht, wenn seine Mitarbeiter Resolutionen verfassen, die nicht der Politik der Bundesregierung entsprechen. Die Antwort wäre, daß Demokratie überhaupt eine anstrengende Sache ist und daß es in den meisten Industrieländern nur einen in vieler Hinsicht eigenständigen oder gar keinen Freiwilligendienst geben kann.

Sicher ist es nicht gut, wenn kleinere Organisationen ihren eigenen Apparat aufzubauen wünschen. Aber Vielfalt in der Organisation der Entwicklungshilfe ergibt sich nicht nur aus der Vielfältigkeit der Aufgaben, sondern auch aus der Pluralität unserer Gesellschaft.

6. Privatinvestitionen

Kaum ein Thema hat in den letzten Jahren die Gemüter so erhitzt wie das der Privatinvestitionen in Entwicklungsländern. Dabei herrscht noch nicht einmal Klarheit über die Terminologie. Private Direktinvestitionen deutscher Firmen sind nicht dasselbe wie jener »private Kapitaltransfer«, der in der OECD-Statistik aufgeführt wird. Zu diesem Kapitaltransfer zählen mittelfristige – kommerzielle – Exportkredite ebenso wie die Kreditaufnahme der Weltbank oder regionaler Entwicklungsbanken auf dem deutschen Kapitalmarkt. Dazu gehören auch die Portfolio-Investitionen, also der Erwerb von Beteiligungen in Entwicklungsländern, der z. B. im Jahre 1969 mehr als das Zweieinhalbfache der privaten Direktinvestitionen ausmachte.

Trotzdem: auch wenn die Direktinvestitionen deutscher Unternehmen in Entwicklungsländern sehr viel geringer sind, als viele annehmen, auch wenn sie nur gut die Hälfte der französischen, ein Drittel der britischen und ein Neuntel der amerikanischen ausmachen, auch wenn sie kein Drittel der bisher geleisteten öffentlichen Entwicklungshilfe betragen, auch wenn der Anteil der Investitionen in Entwicklungsländern an den gesamten Auslandsinvestitionen unserer Industrie seit Jahren nicht mehr über 30 Prozent hinauskommt: es lohnt, sich mit dieser Form des Kapitaltransfers zu beschäftigen, zumal sein Gewicht gegenüber der öffentlichen Hilfe zunimmt.

Auch in der Bundesrepublik Deutschland stehen sich zwei ideologisch verhärtete Fronten gegenüber: die einen, die Direktinvestitionen in jedem Fall für die beste Form der Entwicklungshilfe halten, die anderen, die darin nur neo-kolonialistische Ausbeutung zu sehen vermögen. Für die einen ist alles, was betriebswirtschaftlich rentabel ist, auch entwicklungspolitisch richtig, für die anderen ist gerade die Rentabilität, der Gewinn, das untrügliche Zeichen kapitalistischer Ausbeutung. In Wirklichkeit dürfte es so sein: nicht alles, was betriebswirtschaftlich rentabel ist, muß deshalb schon entwicklungspolitisch nützlich sein, aber keine Investition, die nicht auch volkswirtschaftlich rentabel ist, kann einem Entwicklungsland helfen.

Dies führt zur Suche nach Kriterien, die heute von verschiedenen deutschen und internationalen Teams (z. B. bei der OECD) erforscht werden: wie ist die Wirkung einer Privatinvestition auf Beschäftigung und Arbeitslosigkeit, auf die Zahlungsbilanz, auf den Staatshaushalt, auf die regionale

Wirtschaftsstruktur, auf die Einkommensverteilung, auf die Konsumgewohnheiten? Welcher Anteil der Gewinne wird im Lande reinvestiert, welcher ins Industrieland transferiert? Wie viele junge Menschen erhalten eine Ausbildung, wieviel an know how wird übertragen? Ist der Betrieb in die Wirtschaftsstruktur integriert oder bleibt er ein Fremdkörper? Sind einheimische Partner (private und öffentliche) beteiligt? Besteht eine Chance, daß das Unternehmen nach einer bestimmten Zeit in einheimische Verfügungsgewalt (Mehrheitsbesitz) übergeht? Wird für die Bedürfnisse einer kleinen Minderheit oder für die der großen Masse produziert? In welchem Maße belastet die Produktion die Umwelt?

Sicherlich sind dies nicht die Kriterien, nach denen ein Unternehmen über eine Investition entscheidet. Einer der Sachverständigen des Bundesverbandes der Deutschen Industrie formuliert dies so: »Das Motiv der Wirtschaft bei Investitionen in Entwicklungsländern ist eindeutig nicht Entwicklungshilfe; gleichwohl gehen von diesen Investitionen wichtige Anstöße für die wirtschaftliche Entwicklung des Anlagelandes aus.« [58]

Damit die richtigen Anstöße ausgehen, haben viele Entwicklungsländer ihre eigene Politik präzisiert. Länder wie Indien, Algerien, Peru oder Kolumbien machen sehr deutlich, was sie an Investitionen haben wollen und was nicht, was in ihrem Interesse liegt und was nicht.

Die meisten Entwicklungsländer wollen raschen wirtschaftlichen und sozialen Fortschritt nach eigenen Zielen und in eigener Regie. Sie brauchen dazu ausländisches Kapital und know-how, aber nicht um jeden Preis und zu jeder Bedingung.

Handelsüberschüsse zur freien Verfügung helfen allein nicht weiter, denn die Handelslücke wird noch lange fortbestehen. Öffentliche Entwicklungshilfe steht nur in sehr beschränktem Umfang zur Verfügung, auch wenn sie einmal 0,7 Prozent des Bruttosozialprodukts der Industrieländer erreichen sollte. Schon um den gesamten Netto-Kapitaltransfer auf ein Prozent des Bruttosozialprodukts der Industrieländer zu bringen – und dies ist die Mindestforderung der Entwicklungsländer – sind kommerzielle Kapitalimporte unentbehrlich.

Für Direktinvestitionen kommt hinzu, daß sie mit einem Zustrom von technischem und organisatorischem Wissen verbunden sind.

Die meisten Entwicklungsländer stehen ausländischen Direktinvestitionen daher grundsätzlich positiv gegenüber und fördern sie auf vielfältige Weise. Sie fügen aber stets hinzu, daß ihre Souveränität und ihre Entwicklungspläne Vorrang genießen und nur in diesem Rahmen ein fairer Interessenausgleich möglich sei.

Das zieht sich wie ein roter Faden durch nationale und internationale Dokumente, von den Empfehlungen der Welthandelskonferenz von 1964 über die Charta von Algier und die Erklärungen der lateinamerikanischen Staaten von Viña del Mar (1969) bis zum Strategiedokument der Vereinten Nationen vom Oktober 1970.

Die Investitionspolitik der einzelnen Entwicklungsländer gleicht demgegenüber oft einem Zickzackkurs, z. B. bei Indonesien, Ghana oder Argentinien. Aber es gibt da doch einen Trend: die Tendenz nämlich, Bedingungen zu fixieren, entwicklungspolitisch zu steuern und die langfristigen Kosten und Nutzen von Direktinvestitionen kritisch zu durchleuchten. Es gibt Inkonsequenzen in der Konzessionspraxis, es gibt ideologische Vorurteile und demagogische Manöver, wenn man Prügelknaben für die Innenpolitik braucht, es gibt Scheinlösungen, wie z. B. Partnerschaften mit Strohmännern.

Aber es wäre kurzsichtig, wenn die Investoren darüber den Trend aus den Augen verlieren würden. Es hat keinen Sinn, schwarze Listen aufzustellen und beleidigt in solche Länder auszuweichen, die gerade mit einer besonders liberalen Investitionspolitik locken. Natürlich muß man unnötigen Risiken aus dem Wege gehen. Wir sollten aber aus der Erfahrung der Nordamerikaner, aus der Geschichte der Erdölkonzessionen lernen, daß eine liberale Investitionspolitik keine Lebensversicherung ist, daß eine planwirtschaftliche, nationalistische oder sozialistische Investitionspolitik rentable Investitionen keineswegs ausschließt. Viele deutsche Unternehmen haben dies längst erkannt, manche lernen es gerade bei unseren östlichen Nachbarn.

Dies ist alles mühsamer und komplizierter als die gute alte Investition im Stil der Kolonialzeit. Aber es gibt in Ost und Süd einen ungedeckten Bedarf für Kapital und know-how, den irgend jemand schließlich doch deckt, wenn auch bei rückläufigen Preisen und rückläufigem Gewinn.

Vergleichbare Partner sind Mangelware; das wissen wir aus der mühsamen Arbeit der Deutschen Entwicklungsgesellschaft. Auf die Dauer kommen wir an der Tatsache nicht vorbei, daß in vielen Entwicklungsländern nur öffentliche oder halböffentliche Unternehmen ernst zu nehmende Partner sein werden. Das mag Nachteile haben oder nicht, es mindert politische Risiken.

Die meisten Entwicklungsländer, keineswegs nur die Gruppe, die ganz auf die kapitalistische Karte setzt, haben durchaus nicht den Eindruck, daß zuviel in ihren Ländern investiert wird. Im Gegenteil: sie bieten Steueranreize, erlassen Gesetze und Vorschriften, vergeben Lizenzen, errichten Behörden, gründen Entwicklungsbanken und Industrial Estates. Sie verbessern die Berufsbildung, die Straßen und die Energieversorgung, sie rühren die Werbetrommel. Aber die Investoren kommen nicht, oder nur so wenige, daß die Rechnung nicht mehr aufgeht. Oder es kommen Investoren, die sich anders verhalten als erwartet oder gar scheitern. Oder die ausländischen Investoren machen es wie die einheimischen: sie tummeln sich in den wenigen überlasteten Ballungsräumen, in São Paulo, Buenos Aires oder Mexico City.

Das liegt sicher nicht nur an den Investoren, es liegt oft an der mangelnden Fähigkeit der Entwicklungsländer zur Steuerung und Nutzung der Investitionen. Wirksame Planung und Steuerung des Investitionsprozesses durch das Entwicklungsland liegt im Interesse der ausländischen Investoren. Sie brauchen klare Daten, zuverlässige Zulieferungen, stabile Märkte. Eine klare und harte Linie ist auch für sie besser als das Flickwerk willkürlicher Interventionen.

Die Entwicklungsländer haben lange genug auf die Zauberkraft des Marktmechanismus gehofft, der im Modell der vollkommenen Konkurrenz alle Steuerungsaufgaben löst. Die Märkte und Strukturen der Entwicklungsländer sind davon noch viel weiter entfernt als die unseren. Wir tun daher gut

daran, auf den Export unserer wirtschaftspolitischen Modelle zu verzichten. Es liegt vielmehr auch in unserem Interesse, den Entwicklungsländern dabei zu helfen, Investitionen zu planen und zu steuern.
Erst an zweiter Stelle kommt, was die Bundesregierung tun kann, um Investitionen zu lenken. Niemand in der Bundesrepublik Deutschland kann einem Unternehmer vorschreiben, wo und wie er zu investieren hat. Die Frage ist nur, welche Investitionen mit öffentlichen Geldern – und dazu zählen auch Steuervergünstigungen – gefördert werden sollen.
Es ist mittlerweile bekannt, daß ich unser Förderungsinstrumentarium und seinen Einsatz für verbesserungsbedürftig und verbesserungsfähig halte. Diese Kritik beruht auf Zahlen und Ergebnissen wissenschaftlicher Studien:

1. Aus der regionalen Verteilung der deutschen Direktinvestitionen in Entwicklungsländern läßt sich ablesen, daß fast 77 Prozent (Stand 31. Dezember 1970) dieser Investitionen in Lateinamerika oder in europäischen Entwicklungsländern getätigt werden. Innerhalb der Regionen konzentrieren sie sich auf die fortgeschrittensten Zentren.

2. Bei den Entscheidungen der deutschen Investoren spielen also Förderungsinstrumente eine untergeordnete Rolle. Gewinnerwartungen und Marktgröße geben den Ausschlag.

3. Das Förderungsinstrumentarium wird vorwiegend von den am wenigsten förderungsbedürftigen Großunternehmen für solche Vorhaben genutzt, die auch ohne Förderung attraktiv genug wären.

4. Die Förderung ist allgemein an die »Förderungswürdigkeit« gebunden, aber es fehlen Kriterien und Mittel, um sie bei der Entscheidung wirksam zu berücksichtigen.

Nun leuchtet ohne weiteres ein, daß mit perfektionistischen Förderungsmaßnahmen bei hohem Verwaltungsaufwand niemandem gedient ist. Aber man kann z. B. den Länderkatalog der steuerlichen Förderungen auf wirkliche Entwicklungsländer und auf das verarbeitende Gewerbe beschränken. (Es sind ja meist die Investitionen im extraktiven, nicht im verarbeitenden Sektor, die als Beispiele von Ausbeutung genannt werden.) Und vielleicht kann man sich auch mit der einen oder anderen Regierung darüber einigen, daß bestimmte Ballungsräume innerhalb ihres Landes von unserer Förderung ausgeschlossen werden.

Es hat den Anschein, als wachse bei unserer Industrie die Bereitschaft, über ein präzisiertes Instrumentarium zu sprechen, das sich an den Bedürfnissen der Entwicklungsländer orientiert. Es wäre zu hoffen, daß auch die Kritik an den Privatinvestitionen sich präzisiert und weniger von ideologischen Pauschalurteilen als von belegbaren Mißständen ausgeht.

V. Aufgaben

1. Die Rolle der Bundesrepublik Deutschland

Aus politischen Erwägungen begonnen, unter wirtschaftlichen Zielsetzungen intensiviert, nehmen die Entwicklungshilfeleistungen der Bundesrepublik Deutschland heute einen wichtigen Platz ein. Nach der Statistik der OECD übertraf 1969 nur der Gesamt-Transfer aus den Vereinigten Staaten den aus der Bundesrepublik Deutschland. 1970 überholten Japan und Frankreich die Bundesrepublik Deutschland, die nun an vierter Stelle unter den OECD-Geberländern steht. Das kann 1971 wieder anders sein, zumal der private Transfer je nach Konjunktur und Zinsniveau fluktuiert.

Die Bundesrepublik Deutschland ist keine Großmacht. Anders als die USA und die Sowjetunion hat sie keine Einflußsphären in der Welt zu verteidigen. Sie ist zu klein, um Weltpolizist zu spielen. Die Vereinigten Staaten fühlen sich schon seit der Monroedoktrin für die westliche Hemisphäre verantwortlich, ihr Engagement in Lateinamerika ist nicht neu. In Südostasien ebenso wie im Nahen Osten prallen ihre Interessen mit denen der Sowjetunion aufeinander. Für die Großmächte war Entwicklungshilfe ein Teil der Sicherheitspolitik, oder auch ein Mittel, einer bestimmten Ideologie zum Durchbruch zu verhelfen.

Frankreich und England führen traditionelle Beziehungen zu ehemaligen Kolonien fort. Spät zum Nationalstaat geworden, sind die Deutschen auch spät als imperialistische Macht aufgetreten, zu einem Zeitpunkt, als dies Konflikte mit den anderen europäischen Mächten brachte. Nach dem verlorenen Ersten Weltkrieg war die kurze Episode einer deutschen Kolonialgeschichte beendet. Der schmerzliche Prozeß der Entkolonialisierung mußte von den Deutschen nicht selbst geleistet werden, wir verloren unsere Kolonien gerade noch rechtzeitig. So konnte die deutsche Entwicklungshilfe nicht auf die administrativen Erfahrungen der Kolonialverwaltungen zurückgreifen.

Hinzu kommt die Barriere der Sprache. Die Ausstrahlung französischer Kultur hat zahlreiche afrikanische Länder geprägt. Die deutsche Sprache ist nirgends in der Dritten Welt Landessprache, sie wird kaum gelehrt und gesprochen.

Ohne koloniale Tradition und ohne Weltmachtansprüche waren auch die skandinavischen Länder. Für das sozialdemokratische Schweden war Entwicklungshilfe ein selbstverständliches Gebot der Humanität. Gegen diese Länder hatte sich kein Haß angestaut, ihre Entwicklungshilfe geriet nicht in den Verdacht, mit neuen Mitteln alte Herrschaft fortsetzen zu wollen. Die Bundesrepublik Deutschland hatte eine ähnliche Chance.

Doch je sichtbarer das Motiv des Alleinvertretungsanspruches wurde, je mehr die wirtschaftliche Macht der Bundesrepublik Deutschland wuchs, desto näher lag es, auch bei ihr neokolonialistische Absichten zu vermuten. Die Bundesrepublik Deutschland ist, wie außer ihr nur noch die USA, in allen Gebieten der Welt entwicklungspolitisch tätig. Es ist leicht, sich mit Entwicklungshilfe Feinde zu machen. Freunde damit zu gewinnen ist wesentlich schwieriger.

Wo heute auf diesem Globus von Frieden die Rede ist, fällt bald auch der Name Willy Brandt. Der deutsche Bundeskanzler gilt als einer der nicht eben dicht gesäten Staatsmänner, die begriffen haben, worum es heute geht: die Energie der Menschheit auf jene Aufgaben zu lenken, von denen die Zukunft aller abhängt.

Dies mag einer der Gründe sein, warum viele Entwicklungsländer auf die Bundesrepublik blicken. Ein anderer dürfte darin liegen, daß die Bundesregierung, mit Ressortministern sparsamer als jede ihrer Vorgängerinnen und viele ihrer Nachbarn, das Ministerium für Entwicklungshilfe nicht nur beibehalten, sondern noch mit zusätzlichen Kompetenzen ausgestattet hat. Besonderen Eindruck hat der Kabinettsbeschluß vom 11. Februar 1971 gemacht, der mancherorts als vorbildlich gilt.

2. Orientierung an den Zielen der Entwicklungsländer

Die Bundesregierung hat am 11. Februar 1971 ihre entwicklungspolitische Konzeption für die Zweite Entwicklungsdekade verabschiedet. Darin wird der Öffentlichkeit erstmals eine vollständige Übersicht über Ziele, Grundsätze, Programme und Methoden der Entwicklungspolitik vorgelegt.

Der Kabinettsbeschluß definiert die Rolle der Entwicklungspolitik in der Gesamtpolitik der Bundesregierung Deutschland. Der wirtschaftliche und soziale Fortschritt der Entwicklungsländer, so heißt es da, liege auch im Interesse der Bundesrepublik Deutschland, wirtschaftlich wie außenpolitisch: »Wirtschaftlich werden dadurch Voraussetzungen für den erweiterten Austausch von Gütern und Dienstleistungen im beiderseitigen Interesse geschaffen«, und außenpolitisch: »Wirksame Entwicklungspolitik festigt die internationale Stellung der Bundesrepublik Deutschland. Sie vergrößert langfristig die Chancen der Friedenssicherung.« So füge Entwicklungspolitik sich zwar in das Geflecht unserer auswärtigen Beziehungen ein, doch tauge sie nicht als »Instrument kurzfristiger außenpolitischer Erwägungen«.

Die staatliche Entwicklungshilfe der Bundesrepublik Deutschland orientiert sich laut Kabinettsbeschluß an den Zielen und Prioritäten des jeweiligen Entwicklungslandes. Es ist keineswegs selbstverständlich, daß hier die Politik eines Staates nicht allein den nationalen Interessen dienen soll, sondern daß ein »ständiger Ausgleich der Interessen aller Beteiligten«, also von Industrie- und Entwicklungsländern, angestrebt werden soll, daß ausdrücklich Ziele anderer Staaten als Leitlinien anerkannt werden.

In einem System weltweiter Partnerschaft soll der Interessenausgleich geschehen, bei vollem Respekt für die Unabhängigkeit der Entwicklungsländer. »Die Bundesregierung versucht nicht, den Partnerländern politische sowie gesellschafts- und wirtschaftspolitische Vorstellungen aufzudrängen. Sie entscheidet in enger Kooperation mit dem jeweiligen Entwicklungsland und anderen Partnern, welche Maßnahmen sie entsprechend ihren Möglichkeiten, ihren Vorstellungen und ihrem Instrumentarium unterstützen will.«

Wenn man bedenkt, daß die deutsche Entwicklungshilfe einmal die freie Marktwirtschaft exportieren sollte, so ist diese Formulierung recht beachtlich. Die Entwicklungshilfe ist nicht mehr Instrument zum Export einer für alle heilbringenden Ideologie, sondern der Versuch, anderen beim Finden des eigenen Weges zu helfen, auch wenn es nicht der unsere ist. Dies bedeutet allerdings auch: Entwicklungshilfe kann nur subsidiär sein zu den Eigenanstrengungen des Entwicklungslandes.

Was aber sind die Ziele der Entwicklungsländer? Wer formuliert sie und zu wessen Nutzen? Hat also die Bundesregierung gar keine eigenen Ziele? Sicher kann Entwicklungshilfe nicht jedes Ziel unterstützen, ganz gleich, wer es definiert und wohin es führt. Niemand wird bestreiten, daß es Ausbeutung und Unterdrückung in Entwicklungsländern gibt, aber niemand wird von der Bundesregierung verlangen, daß sie all dies unterstütze.

Hier liegt der seltene Fall vor, daß ein Problem in der Theorie schwieriger ist als in der Praxis. Bei der großen Zahl von Anträgen und Wünschen ist es ohnehin selbstverständlich, daß die Bundesregierung zwischen vorgeschlagenen Maßnahmen auswählen muß. Schon die immer beschränkten Mittel sorgen dafür, daß nur Projekte ausgesucht werden müssen, die unseren Vorstellungen von Entwicklung zumindest nicht widersprechen. Prestigeprojekte, die nur dem höheren Ruhm eines Politikers dienen, haben ebensowenig Chancen wie Vorhaben, die nur einer dünnen Oberschicht zugute kommen.

Es ist kein Widerspruch zu unserer Orientierung an den Zielen der Entwicklungsländer, wenn wir Projekte vorziehen, die denen zugute kommen, die es am nötigsten haben.

Wir können keine Regierung zwingen, ein Projekt zu übernehmen, das sie nicht will. Ebensowenig kann uns jemand zwingen, ein Projekt zu finanzieren, das unseren Maßstäben zuwiderläuft.

Wir werden uns immer so nahtlos wie möglich in die Planungen des Entwicklungslandes einfügen. Aber an welcher Stelle wir uns einfügen, müssen wir nach unseren Kriterien entscheiden.

3. *Entwicklungspolitik und Eigeninteressen*

Wirksame Entwicklungspolitik muß nach zwei Seiten abgeschirmt und behauptet werden: nach der einen, die darin eine willkommene Gelegenheit für kleine Gefälligkeiten gegenüber deutschen Firmen oder ausländischen Regierungen sieht, und nach der anderen, die jede Berührung der Entwicklungshilfe mit Interessen schon als anrüchig und verwerflich verdammt.

Politik jenseits aller Interessen hat es nie gegeben und wird es nie geben. Auch in der Entwicklungspolitik geht es nicht darum, unsere Interessen zu verleugnen; es geht darum, sie richtig zu verstehen und zu definieren.

Kapitalhilfe und Export

Wer Exportförderung durch Kapitalhilfe fordert, sollte von folgenden Fakten ausgehen:

1. Im Jahre 1970 betrug unsere Kapitalhilfe ein Prozent unseres Exports.

2. Solange unsere Volkswirtschaft konkurrenzfähig ist, wird ohnehin ein großer Teil dieser relativ geringen Summe in der Bundesrepublik ausgegeben. Dabei sind vor allem große Firmen (etwa der Elektro- oder Baubranche) an den Aufträgen beteiligt. Kapitalhilfe ist unter dem Gesichtspunkt der Exportförderung keineswegs eine Prämie für besonders leistungsfähige Anbieter. Vielmehr dürften die Präsenz und geschicktes Taktieren im Entwicklungsland und in Bonn den Ausschlag geben.

Nach Ansicht eines seit Jahrzehnten in der praktischen und theoretischen Entwicklungsproblematik erfahrenen Experten entsteht aus Entwicklungshilfe nur indirekt und langfristig ein volkswirtschaftlicher Nutzen für das Geberland.[59]

Eine Entwicklungspolitik, die größtmöglichen Nutzen für die Entwicklungsländer anstrebt, dient daher am ehesten dem langfristigen Gesamtinteresse unserer Volkswirtschaft.

Bekanntlich pflegen Industrieländer am meisten Handelsaustausch mit anderen Industrieländern. Dieser Handel weist die größten Zuwachsraten auf, der Nutzen der weltwirtschaftlichen Arbeitsteilung ist im Handel zwischen industrialisierten Ländern am größten. Daraus folgt: je weiter die Industrialisierung in den Entwicklungsländern fortschreitet, desto mehr Möglichkeiten für eine Ausweitung des Handels, desto mehr Nutzen für alle Beteiligten aus der weltwirtschaftlichen Arbeitsteilung.

Für die Bundesrepublik Deutschland ist dies besonders wichtig, da ein wesentlicher Teil ihres Sozialprodukts über außenwirtschaftliche Beziehungen geschaffen wird.[60]

Eine Entwicklungspolitik, die sich aus kurzfristigen Exportinteressen daran hindern läßt, einen größtmöglichen Beitrag zum wirtschaftlichen und gesellschaftlichen Fortschritt der Entwicklungsländer zu leisten, schadet langfristig der eigenen Volkswirtschaft.

Die Loslösung der deutschen Entwicklungspolitik von kurzfristigen (und noch dazu partiellen) deutschen Exportinteressen steht auch nicht im Widerspruch zu den Zielen unserer Wirtschafts- und Konjunkturpolitik.

Schon weil das Verfahren vom Regierungsantrag bis zum Abfluß der ersten Gelder sehr langwierig ist, könnte Entwicklungshilfe höchstens in Ausnahmefällen antizyklisch wirken. Entwicklungspolitik ist kein brauchbares Instrument der Konjunkturpolitik.

Entwicklungshilfe und Strukturpolitik

Wachstumsorientierte Strukturpolitik erleichtert das Absterben von Betrieben und Branchen, die in die Grenzzonen volkswirtschaftlicher Produktivität und betriebswirtschaftlicher Rentabilität geraten sind. Dies geschieht durch »aktive Sanierung« und die Förderung von Wachstumsindustrien.

Parallel dazu läuft der Prozeß der Industrialisierung der Entwicklungsländer. Die Zahl der Produktionszweige steigt, in denen die Entwicklungsländer im Vergleich zu den Industrieländern relativ produktiv sind. In den Industrieländern dagegen wachsen aufgrund des schnellen technischen Fortschritts neue hochproduktive Produktionszweige. Relativ unproduktiv gewordene Industrien binden knappe Ressourcen und behindern die zukunftsorientierten Sektoren.

Eine Kombination von Entwicklungs- und Strukturpolitik kann diesen Prozeß erleichtern helfen; etwa durch Aufgabe relativ unproduktiver Produktionszweige und ihre Verlagerung in Entwicklungsländer. Die Kombination von Entwicklungs- und Strukturpolitik kann auch vermeiden helfen, daß durch Subventionen für unproduktive Bereiche und durch Protektion gegen eine beginnende Konkurrenz aus den Entwicklungsländern Mittel fehlgeleitet werden.

Zur Förderung ihrer Industrialisierung beginnen die Entwicklungsländer, Rohstoffe im eigenen Land weiterzuverarbeiten. Bestimmte niedrige Verarbeitungsstufen werden aus den Industrieländern verschwinden, weil das erforderliche Rohmaterial nicht mehr geliefert wird, dafür stärker als bisher verarbeitete Rohstoffe angeboten werden (z. B. statt Rohkupfer Fertigkupfer usw.). Protektions- und Subventionsmaßnahmen gegen den Übergang niedriger Verarbeitungsstufen auf die Entwicklungsländer müssen langfristig scheitern.

Entwicklungspolitik und Außenpolitik

Entwicklungspolitik eignet sich nicht zur Durchsetzung kurzfristiger außenpolitischer Interessen. In der Regel kann sie die Außenpolitik des Entwicklungslandes nicht im Sinne des Geberlandes beeinflussen. »Mit Auslandshilfe kann man im allgemeinen keine verläßlichen Freunde kaufen.«[61]

Mit diesen Worten sagt die Pearson-Kommission, daß Entwicklungshilfe die Entwicklungsländer in der Regel nicht von einer eigenen Außenpolitik abhalten kann, auch nicht, wenn sie den (kurzfristigen) außenpolitischen Interessen des Geberlandes zuwiderläuft. Die Erfahrungen mit der amerikanischen Auslandshilfe sprechen hier eine deutliche Sprache. Dabei sind die amerikanischen Leistungen weit weniger marginal als die deutschen.

Die Verknüpfung der amerikanischen Auslandshilfe mit den Sicherheitsinteressen der USA hat in vielen Fällen den außenpolitischen Zielen der USA eher geschadet. Ihretwegen haben neue Regierungen in den Entwicklungsländern nach ihrer Machtübernahme oft rücksichtslos alle Beziehungen zu den

USA abgebrochen und sich dem Gegenspieler der Vereinigten Staaten zugewandt. Eine von amerikanischer Außen- und Sicherheitspolitik unabhängige Entwicklungspolitik hätte nicht zu solch heftigen Reaktionen geführt. Diese Einsicht liegt auch dem Peterson-Bericht zugrunde. [62]

Eine Entwicklungspolitik, die kurzfristige außenpolitische Ziele verfolgt, gefährdet mittel- und langfristig die Beziehungen zum Entwicklungsland.

Die Instrumente der Entwicklungspolitik werden nur langfristig wirksam: Planung und Durchführung von Projekten und Programmen erfordern im allgemeinen einen Zeitraum von vielen Jahren. Außenpolitik dagegen muß häufig auf Situationen reagieren, die plötzlich auftreten (z. B. durch unerwarteten Regierungswechsel). [63] Eine Entwicklungspolitik, welche die Ziele der Entwicklungsländer über kurzfristige deutsche Interessen stellt, unterstützt langfristig unsere Außenpolitik.

Eine von Geberinteressen bestimmte Entwicklungspolitik kann auch keinen optimalen Nutzen für das Entwicklungsland erbringen. Wenn Projektentscheidungen sich an Interessen des Industrielandes orientieren, werden die Mittel oft nicht wirksam eingesetzt. Ein unangepaßtes Projekt kann für das Entwicklungsland eine schwere Belastung bedeuten, weil es die eigenen knappen Mittel in Fehlinvestitionen bindet. [64]

Entwicklungsprojekte, die der Regierung eines Entwicklungslandes eingeredet werden, obwohl sie dort weder wirtschaftlich noch technologisch hinpassen, mögen der Exportindustrie des Industrielandes einen großen Auftrag verschaffen; die Beziehungen zu diesem Land werden sie aber nach kurzer Zeit eher verschlechtern.

Die Pearson-Kommission kommt zu folgendem Schluß: »Ein Großteil der bilateralen Entwicklungshilfe diente tatsächlich dazu, kurzfristige politische oder strategische Vorteile zu erlangen oder Exporte der Geberländer zu fördern ... Man braucht sich daher nicht zu wundern, daß viele Hoffnungen auf größeren Fortschritt in der wirtschaftlichen Entwicklung enttäuscht wurden.« [65] Dies spricht sich auch in Entwicklungsländern herum. Entwicklungspolitik, die kurzfristigen Interessen des Geberlandes untergeordnet wird, nützt keiner Seite, sie belastet die Beziehungen zu den Entwicklungsländern. Entwicklungspolitik im Dienste von kurzfristigen Interessen führt zu Enttäuschungen. In den Vereinigten Staaten ist dies bereits deutlich sichtbar. So heißt es in der Studie über die US-Entwicklungshilfe: »Foreign aid in its present form is an insult, at home and abroad.«[66] Die Krise der amerikanischen Beziehungen zu den Entwicklungsländern hat dazu geführt, daß die öffentliche Entwicklungshilfe stark verringert wurde, zwischen 1963 und 1969 um etwa die Hälfte.[67] Dies wiederum ist nicht dazu angetan, die Beziehungen zu den Entwicklungsländern zu verbessern.

Wo von Entwicklungshilfe unmittelbare ökonomische und außenpolitische oder gar militärische Vorteile erwartet werden, gerät sie in die Krise, sobald diese Vorteile ausbleiben. Und sie müssen ausbleiben, wenn man in Rechnung stellt, daß zumindest die jüngere Generation in Entwicklungsländern Entwicklungshilfe nicht als gütiges Almosen, sondern als – überdies dürftigen – Beitrag zum Ausgleich schreiender Ungerechtigkeit betrachtet. Verbitterung greift um sich, diese Verbitterung wird zum Argument für geringere Leistungen, und diese geringeren Leistungen steigern den Verdruß in Entwicklungsländern. Was hier droht, ist eine Eskalation des Unbehagens, die schließlich ein Außenpolitikum ersten Ranges wird.

Wie die Kongreßbotschaft Präsident Nixons vom 15. September 1970 zeigt, hat die amerikanische Regierung diese Gefahr erkannt. Sie versucht im letzten Moment, das Steuer herumzuwerfen. Strenge Trennung zwischen Militärhilfe und Entwicklungshilfe, Umschichtungen zugunsten multilateraler Hilfe deuten in eine neue Richtung. Daß dabei Tendenzen und Methoden sichtbar werden, die in der Bundesrepublik Deutschland seit geraumer Zeit wirksam sind, ist kein Grund zur Selbstzufriedenheit. Aber tatsächlich haben wir eine gute Chance, die Eskalation des Unbehagens zu vermeiden.

Es ist ein durchaus legitimes Interesse der Bundesrepublik Deutschland, sich mit ihrer Entwicklungshilfe Freunde, zumindest keine Feinde zu machen. Dabei sind die positiven wie die negativen Möglichkeiten größer, als wir uns dies meist eingestehen.

So naiv die Hoffnung sein mag, man könne durch ein Kraftwerk oder ein Technikum die besondere Sympathie eines Landes gewinnen, so sicher ist es andererseits, daß das Gesamtbild unserer Entwicklungshilfe in unseren Beziehungen zur Dritten Welt kaum hoch genug eingeschätzt werden kann. Es war außenpolitisch relevant, daß die deutsche Delegation im Vorbereitenden Ausschuß für die Zweite Entwicklungsdekade konstruktiv mit eigenen Ideen mitgewirkt hat. Es war außenpolitisch relevant, daß die Bundesrepublik Deutschland in der OECD für eine Senkung des Normalzinses und für den Abbau der Lieferbindung bei Kapitalhilfedarlehen eintrat. Es war außenpolitisch relevant, daß die Bundesrepublik Deutschland nach den USA zum zweiten Finanzier der multilateralen Organisationen aufrückte, eine großzügige Aufstockung der IDA ermöglichte und sich aktiv in die Entwicklungsanstrengungen der UNESCO einschaltete. Das positive Echo blieb nicht aus; so erhielt 1970 der deutsche Kandidat für den Exekutivrat der UNESCO überraschend 94 von 119 abgegebenen Stimmen.

Es wird außenpolitisch relevant sein, welche Anstrengungen die Bundesrepublik Deutschland macht, das von den Vereinten Nationen aufgestellte Ziel von 0,7 Prozent des Bruttosozialprodukts an öffentlicher Hilfe aufzubringen. Es wird die Entwicklungsländer interessieren, ob die Bundesrepublik Deutschland bei Umschuldungen im Bremserhäuschen sitzt oder selbst aktiv wird. Es wird von Entwicklungsländern registriert werden, ob wir in Zukunft die Quote für höherverzinsliche Kredite, die von der OECD eingeräumt wird, tatsächlich voll in Anspruch nehmen, ob wir unsere Anstrengungen in der Bildungshilfe erhöhen, ob die Ausbildung und die Anpassungsfähigkeit unserer Experten sich verbessern, welchen Einfluß das Deutsche Forum für Entwicklungspolitik auf die deutsche Öffentlichkeit erhält.

Kurz: es liegt auch in unserem Interesse, gute, wirksame Entwicklungspolitik zu betreiben. Es liegt in unserem Interesse, uns an den Zielen der Entwicklungsländer und des Strategiedokuments der UN für die Zweite Dekade zu orientieren.

Daß gute Entwicklungspolitik sich außenpolitisch auszahlt, wird niemand sicher vorhersagen können. Immerhin eröffnet

sie die Chance einer Partnerschaft, die auch außenpolitisch fruchtbar sein kann. Daß schlechte, kurzsichtige, von Partikularinteressen verzerrte Entwicklungshilfe, als Zuckerbrot freundlich gegeben oder stirnrunzelnd vorenthalten, sich nicht auszahlt, gehört zu den unangenehmen Erfahrungen der letzten Jahre.
Entwicklungshilfe ist Investition in die gemeinsame Zukunft, und zwar in dem Maße, wie wir wirklich die gemeinsame Zukunft meinen. Unsere Partner haben dafür eine gute Nase.

4. Das neue Konzept

Um die gemeinsame Zukunft ging es bei der Formulierung der Strategie der Vereinten Nationen für die Zweite Dekade. Daran orientiert sich auch das Konzept der Bundesregierung vom 11. Februar 1971. Wo die Schwerpunkte liegen, wenn man von den Bedürfnissen der Menschen ausgeht, liegt nach dem Gesagten auf der Hand: Bildung, Beschäftigung, Ernährung. Im hölzernen Deutsch eines Kabinettsbeschlusses liest sich das dann so:

Landwirtschaft [68]

»Der Agrarsektor wird während der Zweiten Entwicklungsdekade in den meisten Entwicklungsländern für die Lebensbedingungen der Mehrheit der Bevölkerung entscheidend bleiben. Daraus ergibt sich seine Bedeutung für die deutsche Entwicklungshilfe.
Die Erfolge im Bereich der Agrarproduktion (Grüne Revolution) haben deutlich gemacht, daß die Engpässe vornehmlich in der fehlenden Kaufkraft der ärmeren Bevölkerungsschichten sowie in den vor- und nachgelagerten Sektoren liegen.
Die sozialen Gegensätze sind vielfach durch die Grüne Revolution verschärft worden. In vielen Entwicklungsländern werden daher Förderungsmaßnahmen für den Agrarsektor erst dann voll wirksam, wenn erfolgversprechende Agrarreformen anlaufen. Die Bundesregierung hält solche Maßnahmen für wichtig und ist bereit, sie zu unterstützen.

Die Instrumente der Agrarhilfe werden künftig vorzugsweise dort eingesetzt, wo sie zum Erfolg sinnvoller Agrarstrukturmaßnahmen der Entwicklungsländer beitragen können. Dies wird den verstärkten Einsatz von Regierungsberatern sowie die Förderung von Kredit-, Bezugs-, Produktions- und Absatzorganisationen erfordern. Vor allem wird der Aufbau von Beratungsdiensten und Agrarkreditsystemen gefördert werden.
Die Förderung der Agrarforschung und -technologie ist zu intensivieren. Hochqualifizierte Berater und Forscher werden an Ort und Stelle mit einschlägigen Institutionen der Entwicklungsländer verstärkt zusammenarbeiten.
Im Bereich der Produktion ist der tierischen und pflanzlichen Eiweißerzeugung besondere Aufmerksamkeit zu widmen.
Unter den nachgelagerten Sektoren kommt der Lagerhaltung, Vermarktung, Verteilung und Verarbeitung landwirtschaftlicher Produkte wachsende Bedeutung zu. Dabei sind die Möglichkeiten zum Export landwirtschaftlicher Veredelungs- und Verarbeitungsprodukte besonders zu berücksichtigen.
Die Bundesrepublik Deutschland wird die rationelle Herstellung landwirtschaftlicher Produktionsmittel in den Entwicklungsländern fördern. Dies schließt den Aufbau eines leistungsfähigen Reparatur- und Beratungsdienstes ein. Bei der Lieferung von Produktionsmitteln sind diese Gesichtspunkte zu berücksichtigen.
Die Aus- und Fortbildung von Spitzenkräften sowie mittlerem technischen und organisatorischen Personal an Ort und Stelle ist verstärkt zu unterstützen und auch in diesem Bereich möglichst praxisbezogen durchzuführen.
Die verschiedenen Förderungsmaßnahmen sollten im Rahmen größerer Projekte und Programme ineinandergreifen.«
Allein über diesen Abschnitt, der eine der 30 Seiten des Dokumentes ausmacht, ließe sich ein eigenes Buch schreiben. Der knappe, trockene Satz: »Die Instrumente der Agrarhilfe werden künftig vorzugsweise dort eingesetzt, wo sie zum Erfolg sinnvoller Agrarstrukturmaßnahmen der Entwicklungsländer beitragen können«, enthält ein volles Programm, das, wo es in mühsamer Kleinarbeit realisiert wird, einiges in Bewegung bringen kann.

Ein anderes Kapitel: Beschäftigung[69]

»Die Bundesregierung wird verstärkt auf die Beschäftigungswirkung ihrer Förderungsmaßnahmen achten und sinnvolle Beschäftigungsmaßnahmen insbesondere im Rahmen regionaler Strukturprogramme unterstützen. Sie wird beschäftigungsintensive Sektoren besonders berücksichtigen.
In den meisten Entwicklungsländern vollzieht sich die Verstädterung rascher, als die Nachfrage nach Arbeitskräften in den Ballungszentren steigt. Daher müssen Arbeitsplätze insbesondere in ländlichen Regionen geschaffen werden. Die Bundesregierung wird arbeitsintensive Bereiche der Agrarwirtschaft und den Ausbau der Infrastruktur auf dem Lande verstärkt fördern.
Die Bundesregierung wird die Entwicklung arbeitsintensiver und gleichzeitig wettbewerbsfähiger Verfahren unterstützen. Auch die Übernahme von Landeswährungskosten kann dazu beitragen, daß kapital- und devisenintensive Technologien nicht einseitig begünstigt werden. Arbeitsintensive Produktionsverfahren können jedoch insbesondere im Bereich der Exportwirtschaft nur angewandt werden, wenn die entstehenden Produktionskosten dem Wettbewerb auf den internationalen Absatzmärkten entsprechen. Die Förderung der Klein- und Mittelindustrie, der Bauwirtschaft und arbeitsintensiven Zweige des verarbeitenden Gewerbes soll in ländlichen Regionen wie in den Ballungszentren zur besseren Beschäftigung beitragen.
Die Förderungsmaßnahmen der Bundesregierung im Dienstleistungssektor sollen dem Ausbau arbeitsintensiver Dienstleistungsbereiche (z. B. Tourismus und öffentliche Dienstleistungen) dienen.
Durch Förderung sozialer Dienste können unmittelbare Beschäftigungseffekte erzielt und gleichzeitig die Lebensbedingungen der Bevölkerung verbessert werden. Dabei kommt Selbsthilfeorganisationen, Jugend-, Freiwilligen und Arbeitsdiensten eine wichtige Funktion vor allem auf dem Gebiet des Community Development zu. Die Bundesregierung wird daher verstärkt geeignete Organisationen und Programme in diesem Bereich unterstützen.

Ohne ein arbeits- und umweltorientiertes Bildungssystem für die Masse der Bevölkerung kann die Beschäftigungspolitik der Entwicklungsländer nicht erfolgreich sein. Die Bildungshilfe wird sich daher verstärkt an ihrer Wirkung auf die Beschäftigung orientieren.«
Niemand wird beim flüchtigen Lesen ermessen können, welche jahrelange Diskussion zwischen den Ressorts etwa hinter dem kargen Sätzlein steckt: »Auch die Übernahme von Landeswährungskosten kann dazu beitragen, daß kapital- und devisenintensive Technologien nicht einseitig begünstigt werden.« Es gehörte von Anfang an zu den Grundsätzen der deutschen Kapitalhilfe, daß wir die Kosten übernehmen, die nicht in der Währung des Entwicklungslandes, sondern in Devisen anfielen. Und dafür gab es gute Gründe, zumal in der Zahlungsbilanz der Entwicklungsländer. Der Nachteil war nur, daß wir damit nur Anlagen schaffen konnten, wie sie in den Hartwährungsländern üblich sind: So kapitalintensiv und arbeitsparend wie möglich. Dies aber hatte auf die Beschäftigung nicht den erwünschten Effekt. Gelegentlich wurden durch einen hochmodernen Betrieb mehr kleine Handwerker arbeitslos als Arbeiter beschäftigt. Also ist es jetzt nötig, mehr als bisher auch Kosten zu übernehmen, die in Landeswährung anfallen. Es gibt keinen Grund, warum ein Straßenbau mit einigen Tausend einheimischen Arbeitern weniger förderungswürdig wäre als einer mit einem hochmodernen Maschinenpark.

Schließlich der Abschnitt über

Bildung und Wissenschaft [70]

»In Übereinstimmung mit den Empfehlungen und Programmen der multilateralen Organisationen wird die Bundesregierung in der Zweiten Entwicklungsdekade der Bedeutung von Bildung und Wissenschaft für alle Bereiche der Entwicklung durch verstärkte quantitative und qualitative Anstrengungen Rechnung tragen. Die Förderungsmaßnahmen sollten auf eine flexible Anpassung der Bildungsinhalte und -methoden an die sich ändernden Erfordernisse des Arbeitsmarktes und der sozialen Umwelt hinwirken. Wirksame Maßnahmen

zur strukturellen Änderung des Erziehungswesens und zur Entwicklung neuer Lehr- und Lernverfahren genießen Priorität gegenüber Beiträgen zur lediglich quantitativen Erweiterung bestehender Erziehungssysteme.
Die Bildungs- und Wissenschaftshilfe wird überproportional am Wachstum der Technischen Hilfe beteiligt sein. In geeigneten Fällen sollte auch Kapitalhilfe für Investitionen in diesem Bereich gewährt werden.
Folgende Gebiete der Bildungs- und Wissenschaftshilfe sind verstärkt zu fördern: Erziehungsverwaltung, Erziehungsplanung und -forschung, Bildungsmaßnahmen außerhalb des herkömmlichen Schulwesens unter Einsatz von Massenmedien, flexible Berufsausbildungssysteme, materielle Infrastruktur des Erziehungswesens, anwendungsorientierte Forschung.
Die bisher auf Hochschuleinrichtungen und anwendungsorientierte wissenschaftliche Institutionen konzentrierte Wissenschaftshilfe wird um die Förderung der Grundlagenforschung auf ausgewählten Gebieten von besonderer entwicklungspolitischer Bedeutung erweitert.
Bildungs- und Wissenschaftshilfe wird alle Möglichkeiten partnerschaftlicher Zusammenarbeit zwischen Institutionen in Entwicklungsländern und in der Bundesrepublik Deutschland nützen. Bei dieser Zusammenarbeit ist den Bedürfnissen der Entwicklungsländer Vorrang einzuräumen. Insbesondere ist im Rahmen der Bildungshilfe die ungeprüfte Übertragung deutscher Bildungsmodelle zu vermeiden.«
Auch hier steckt ein ganzes Programm in einem knappen, dazu noch holprigen Satz: »Die Förderungsmaßnahmen sollten auf eine flexible Anpassung der Bildungsinhalte und -methoden an die sich ändernden Erfordernisse des Arbeitsmarktes und der sozialen Umwelt hinwirken.« Dies ist das Ende einer Bildungshilfe, die glaubt, man brauche nur mehr Schulen, mehr Universitäten. Daß nun auch Kapitalhilfe für Bildungsinvestitionen möglich ist, mag dem Außenstehenden wenig sagen. Tatsächlich ist hier mit einem ehrwürdigen Grundsatz gebrochen worden.
Der entscheidende Neuansatz in diesem Kabinettsbeschluß liegt aber anderswo. Bisher hatte die Bundesregierung abgewartet, bis ein Entwicklungsland seine Projektanträge unter-

breitete und dann über das einzelne Projekt nach gründlicher Prüfung entschieden. Dies hatte dazu geführt, daß auch gute Einzelprojekte oft wirkungslos blieben. In Zukunft soll das Einzelprojekt zur Ausnahme werden:[71]

»Die entwicklungspolitischen Entscheidungen sollen künftig stärker als bisher auf der Grundlage länderbezogener Hilfeprogramme getroffen werden, in denen der Differenziertheit der Entwicklungsländer besser Rechnung getragen, Prioritäten für Projekte festgelegt, die Vielzahl isolierter Einzelprojekte zu einem konsistenten Programm zusammengefaßt und die Anstrengungen von Industrie- und Entwicklungsländern besser koordiniert werden können. Aus diesem Grunde werden im Gesamtrahmen der deutschen Entwicklungspolitik die länderbezogenen Hilfeprogramme verstärkt.«

In welchen Regionen und Sektoren unser Instrumentarium am wirksamsten eingesetzt wird, muß erst durch ein »länderbezogenes Hilfeprogramm« ermittelt werden, für das alle Informationen über das Land (z. B. die Weltbankberichte und vor allem die Entwicklungspläne des Landes selbst) gesammelt und ausgewertet werden. Nur so erfahren wir, wo wir die stärksten Impulse vermitteln können.

Dann werden die einzelnen Instrumente (Zuschüsse, Kredite, materielle und personelle Hilfe) nicht mehr einzeln, sondern gebündelt eingesetzt. Wo eine Agrargenossenschaft aufgebaut wird, muß auch dafür gesorgt werden, daß die Produkte weiterverarbeitet und auf den Markt gebracht werden. Dazu ist vielleicht eine kleine Fabrik, eine Straße oder eine Bewässerungsanlage nötig. Die Kinder, die nicht in der Genossenschaft Platz finden, müssen handwerklich ausgebildet werden. Schließlich kann eine Gesundheitsstation einbezogen werden, möglichst mit einer Kraft, die von Familienplanung etwas versteht.

Solche Programme sind um so erfolgreicher, je besser sie in die nationale Planung der Entwicklungsländer eingefügt sind und je mehr diese Planung mit den internationalen Organisationen abgestimmt ist. Es war in manchen Entwicklungsländern ein beliebter Sport, die einzelnen Industrieländer und die internationalen Organisationen gegeneinander auszuspielen. Inzwischen haben viele eingesehen, daß damit doch wenig erreicht wird und es besser ist, die Hilfe von außen so zu koordinieren, daß Reibungen und Doppelarbeit vermieden und die Aufgaben sinnvoll aufgeteilt werden. Seit der Heidelberger Konferenz im Juni 1970 hat der Gedanke der internationalen Koordination am Ort, also im einzelnen Entwicklungsland, stark an Boden gewonnen. Auch die Reform des UNDP zielt in diese Richtung, so daß der Vertreter des Entwicklungsprogramms der UN in vielen Ländern zum Ausgangspunkt der Koordination werden kann.

In der Sprache des Kabinettsbeschlusses liest sich dies so:[72]

»Die Verwirklichung des entwicklungspolitischen Konzepts für die 70er Jahre hängt entscheidend von der Zusammenarbeit und Abstimmung zwischen bilateralen und multilateralen Gebern sowie von dem engen Dialog mit den Entwicklungsländern ab. Die Abstimmung der verschiedenen bilateralen und multilateralen Hilfen auf die Erfordernisse der Entwicklungspläne und Bedürfnisse der einzelnen Entwicklungsländer und eine stärkere Verbindung mit dem Gesamtsystem der UN-Hilfen ist unerläßlich.

Bei der Programmierung der multilateralen Hilfe und bei der Koordinierung multilateraler und bilateraler Hilfe kommt den multilateralen Organisationen, die ständig an Ort und Stelle vertreten sind, im Rahmen ihrer Zuständigkeit besondere Bedeutung zu. Wirksame Koordinierung der verschiedenen Hilfeleistungen setzt bessere Information über Projekte und Programme voraus. Die Bundesregierung hält den Auf- und Ausbau eines wirksamen Informationssystems in Entwicklungsländern für zweckmäßig. Hierzu gehört unter anderem die Schaffung zentraler Informationsstellen, die projekt- und planungsbezogene Daten speichern, auswerten und den beteiligten bilateralen und multilateralen Gebern auf Anforderung zur Verfügung stellen. Die Bestrebungen, ein integriertes Informationssystem innerhalb der UN-Organisationen zu schaffen, werden von der Bundesregierung unterstützt. Auch die Bemühungen der Weltbank, ihre Länderberichtsmissionen zu verstärken, mit erweiterten Aufgaben zu betrauen und mit dem Entwicklungsprogramm der Vereinten Nationen (United Nations Development Program – UNDP) und dem IMF im Informationsbereich enger zusam-

menzuarbeiten, werden Information und Koordination weiter verbessern.
Die Bundesregierung wird alle Maßnahmen unterstützen, die zu einer Abstimmung der Hilfeprogramme bilateraler und multilateraler Geber mit dem Entwicklungsland führen. Einer der Wege hierzu ist der konzertierte Dialog an Ort und Stelle.«
Sicherlich wird es in manchen Ländern noch einige Zeit dauern, bis der »konzertierte Dialog an Ort und Stelle« in Gang kommt. Und es wird viel Takt und Fingerspitzengefühl brauchen, um den Entwicklungsländern zu zeigen, daß für sie in diesem Dialog keine Gefahr, sondern eine Chance liegt: die Chance, potente Helfer für die eigenen Pläne zu gewinnen.
Schließlich erledigt sich dadurch auch der Streit um bilaterale und multilaterale Hilfe: bilaterale Hilfe wird am wirksamsten in einem multilateral abgesteckten Rahmen.
Es liegt auf der Hand, daß ein solcher Übergang auf das »langfristige, integrierte, länderbezogene und international koordinierte Hilfeprogramm«[73] auch Änderungen in der Organisation bedingt. Daher wurde das Bundesministerium für wirtschaftliche Zusammenarbeit im Herbst 1970 umorganisiert. Die – zahlenmäßig von sieben auf elf erweiterten – Länderreferate erstellen die Länderprogramme, die Fachreferate erarbeiten und überwachen die Projekte. Auch die Stellen, die mit der Durchführung der Technischen Hilfe betraut sind, blieben von der Umorganisation nicht unberührt.

5. Soziale Strukturen und Entwicklungspolitik

Daß es Ziel struktureller Veränderungen sei, Hindernisse aus dem Weg zu räumen, die der Mobilisierung der Selbsthilfe und einer gerechten Verteilung ihrer Früchte im Wege stehen, wird heute fast überall anerkannt. Theoretische Einigkeit läßt sich auch erzielen, wenn es um Dörfer im Busch, Slums großer Städte, Wanderarbeiter oder elternlose Jugendliche geht. Kritisch wird es, wenn Veränderungen anfangen, Machtverhältnisse zu berühren.

Der Wind der Veränderung, der heute über unsere Erde weht, wird keinen Winkel in keiner Gesellschaft auf die Dauer verschonen. Nur weiß niemand, was nach seinem Abflauen übrigbleiben wird. Befreiungsbewegungen, die auf den zentral geplanten Staat zusteuern und sich auf sozialistische Modelle berufen, scheinen die gültige Antwort zu wissen. Viele verweisen auf die unbestreitbaren Erfolge des kommunistischen China. Aber auch wenn wir gut daran tun, Maos Methoden nicht mit unseren westeuropäischen Maßstäben zu messen, so wäre es doch reichlich naiv, alle Gesellschaften über einen Kamm zu scheren. Es kann kein dogmatisches Einheitsrezept geben. Wir können die Zielvorstellungen für den sozialen Wandel nicht mit Begriffen und Bildern aus den Lehrbüchern der einen oder anderen Ideologie beschreiben. Wir müssen offen bleiben. Offen bleiben heißt auch, mit bedenklichen Staatsordnungen kooperieren, wenn diese ihr Land ein Stück weiterbringen. Ein solides Steuersystem, Bodenreform, Entmachtung parasitärer Schichten können auch dann weiterhelfen, wenn sie aus rein nationalistischen Gründen eingeleitet werden. Entscheidend sind weniger die Motive als die Wirkungen. Für mich ist Entwicklungspolitik die Kunst, pragmatisch Veränderungen zu fördern und dabei das wenige an Ordnung und geregeltem Verkehr der Staaten und Gesellschaften nicht zu zerstören, das uns nach Kolonialismus und Weltkriegen noch geblieben ist. Umgekehrt: wer Veränderungen glaubt verhindern zu können, seien es soziale oder politische, kann sehr rasch aus lauter Ordnungssinn nicht nur in der Inhumanität, sondern auch in der Unordnung enden. Pakistan ist dafür ein Beispiel.
Ich habe nie an der theoretischen Diskussion teilgenommen, ob soziale Veränderungen mit oder ohne Gewalt erreicht werden müßten. Abgesehen davon, daß der Begriff der Gewalt inzwischen so gedehnt worden ist, daß jede Form von Macht damit gemeint scheint, stelle ich einfach fest, daß die meisten sozialen Veränderungen des letzten Jahrzehnts nicht durch Guerilleros, sondern durch putschende Offiziere oder – in Indien, Ceylon und Chile – durch freie Wahlen angestoßen wurden. Dilettantische Versuche der Gewaltanwendung können bestehende Strukturen eher verhärten als ver-

ändern. Und die Ereignisse des Jahres 1971 deuten darauf hin, daß es neben der Alternative: gewaltlose oder gewaltsame Veränderung noch eine dritte geben wird: Gewalt ohne Veränderung. Ich fürchte, diese dritte Alternative, deren Wirkungen wir in Pakistan, in der Türkei, auch in Ceylon und Marokko erlebt haben, dürfte so häufig werden, daß eine allzu romantische Neigung zur Gewalt nicht lange vorhalten wird.

Was aber können wir tun, wenn wir anderer Leute Revolution weder machen können noch machen wollen? Wie kann Entwicklungshilfe auf soziale Strukturen einwirken? Keiner kann mit letzter Sicherheit voraussagen, wie eine neue Eisenbahn oder eine Agrargenossenschaft sich auf eine Sozialstruktur auswirkt. Kein Politiker entgeht der Erfahrung, daß er mit einer Maßnahme genau das Gegenteil dessen erreicht, was er im Sinne hatte. Es gibt sogar etwas wie ein fruchtbares Mißverständnis. Ich denke an den feudalen Herrscher, der sein Land und seine Untertanen als Familieneigentum betrachtet. Wenn er durch Ölfunde zu Geld gekommen ist, wird er Schulen bauen, um gute Untertanen heranzuziehen. Ungewollt wird er mit der Hebung des Bildungsniveaus aber auch die Basis für soziale Veränderungen schaffen.

Kann man solche Wirkungen planen? Sozialstrukturelle Veränderungen ergeben sich nicht automatisch in der gewünschten Richtung. Man könnte eine Reihe von Beispielen dafür anführen, daß wirtschaftliche und technische Großprojekte soziale Strukturen eher verkrusteten als auflockerten. Es gibt nicht nur fruchtbare, sondern auch unfruchtbare Mißverständnisse.

Was sollten die Menschen tun, die aus dem Busch zum Aufbau eines großen Aluminiumwerkes geholt wurden, das nach seiner Fertigstellung nur wenige Spezialisten brauchte? Tausende gingen nicht wieder in den Busch zurück, sondern, ihren ursprünglichen Lebensgewohnheiten entfremdet, in die nächstgelegenen großen Städte, um dort das arbeitslose Proletariat zu vermehren.

Eine Papierfabrik, die das lokale Unterholz rationell verarbeitet, deren Erzeugnisse auch verkauft werden können,

sieht schon anders aus, wenn man verfolgt, was mit ihren Abwässern geschieht. In einem afrikanischen Land wurden durch solche Rückstände zahlreiche kleine Fischer um ihre Existenz gebracht. Die Fische verließen die verseuchte Flußmündung, und die kleinen Fischerboote waren nicht seetüchtig genug, ihnen zu folgen. Nutznießer war eine Fischereigesellschaft mit entsprechend großen Fangschiffen.
Positive soziale Begleiterscheinungen müssen geplant und gesteuert, negative frühzeitig erkannt und verhindert werden. Wenn man als wichtigstes Ziel der Entwicklungshilfe Mobilisierung der Selbsthilfe erkannt hat, dann scheiden isolierte Projekte der Kapitalhilfe oder der Technischen Hilfe aus. Sie kommen nur noch in Verbindung mit Sozialmaßnahmen in Frage. Wo industrielle Arbeitsplätze entstehen, müssen auch Wohnungen, Schulen und ein Gesundheitsdienst eingerichtet werden. Man kann nicht einfach eine neue Weizensorte einführen, ohne zu überlegen, wer Saatgut und Düngemittel kaufen kann. Kredit- und Verkaufsgenossenschaften gehören dazu, wenn die Neuerung nicht einseitig denen zugute kommen soll, denen es ohnehin schon relativ gut geht. Zur Planung eines Staudammes gehört auch die Untersuchung von Boden- und Wasserrecht, denn davon hängt es ab, wem das gestaute Wasser nützt.
Es gibt Fälle, wo die soziale Ordnung so verkrustet ist, daß kaum sinnvolle Projekte der Entwicklungshilfe möglich sind. Wenn Angehörige einer bestimmten Kaste oder Rasse keine Anstellungen finden, nutzt es auch nichts, sie auszubilden. Auch dann nicht, wenn es erklärtes Ziel der Fachschule war, diese Gruppe in die Gesellschaft zu integrieren. Die Ausbildungsstätte darf nur dann errichtet werden, wenn auch die spätere Berufstätigkeit der Schüler sichergestellt werden kann.
Auch Projekte, die speziell darauf angelegt sind, die sozial Schwächsten zu fördern (Sozialstrukturhilfe), können sich isoliert nicht behaupten. Anders als bei der Kapitalhilfe und der Technischen Hilfe, die in der Vergangenheit meist von der Sache her konzipiert wurden und erst dann nach den Menschen fragten, folgt das Sozialstrukturprojekt dem Menschen. Entscheidend ist, daß ein lokaler Partner da ist, der

Menschen ansprechen und mobilisieren kann. Doch auch soziales Engagement ohne ökonomische Vernunft ist zum Scheitern verurteilt. Manche Projekte sind wirkungslos geblieben, weil die Erwartungen enttäuscht wurden, die sie geweckt hatten. Erfolgreiche Bewußtseinsänderung steigert immer die Erwartung.
Entwicklungspolitik wirkt immer auf gesellschaftliche Verhältnisse ein, ob sie will oder nicht. Alles kommt darauf an, die Auswirkungen – wo immer möglich – vorher abzusehen und sie so zu lenken, daß sie den Grundbedürfnissen der Menschen dienen. Auch dazu ist die Kombination verschiedenster Projekttypen, der Übergang vom Einzelprojekt zum Programm unerläßlich.
Ein Beispiel: ein Ziel der ghanaischen Entwicklungsplanung ist es, das Einkommensgefälle zwischen Stadt und Land zu verringern. Dies mag Selbstzweck sein, ebensogut ein Mittel, um die Landflucht zu bekämpfen. Darum sieht das ghanaische Investitionsbudget auch erhöhte Ausgaben für Landwirtschaft und ländliche Entwicklung vor.
In Übereinstimmung mit der ghanaischen Planung und den von dort eingegangenen Anträgen haben wir ein Programm ausgearbeitet. Es konzentriert sich auf den Ausbau zweier ländlicher Regionen. Für die relativ kleine Küstenregion ist ein Bauhof für den Straßenbau ebenso vorgesehen wie die Förderung der Küstenfischerei, ein Geflügelzuchtprojekt, eine Gesundheitsstation und eine Lehrwerkstatt. In der sehr ausgedehnten Nordregion werden wir den Reisanbau fördern und seine Verarbeitung in Reismühlen. Dazu kommen Verbesserungen des Gesundheitswesens und der Wasserversorgung. Auch die industriellen Projekte wirken sich auf die ländlichen Regionen aus, zum Beispiel eine Holzverarbeitung zur besseren Nutzung der Wälder.
Durch die Einbettung all dieser Projekte in die Planung Ghanas und durch ihre Kombination wird nicht nur vermieden, daß Entwicklungsruinen entstehen. Eben weil die Projekte sich gegenseitig stützen und sich gleichzeitig in ein größeres Konzept einordnen, ist die Hoffnung berechtigt, daß sie bewirken, was sie bewirken sollen: bessere Lebensbedingungen auf dem Lande.

Dies alles wird noch deutlicher, wo internationale Organisationen im Spiel sind. Auch die Weltbank oder das Entwicklungsprogramm der Vereinten Nationen müssen Interessen und Empfindlichkeiten der jeweiligen Regierung im Auge haben, aber man kann ihnen nicht so rasch vorwerfen, sie wollten im Interesse eines Landes in die Angelegenheit eines anderen eingreifen.
Eine neue Chance bietet der »konzertierte Dialog am Ort«, die gemeinsame Diskussion der Planung zwischen den Entwicklungsländern, den internationalen Organisationen und den engagierten Industrieländern. Wenn hier etwa der örtliche Vertreter des Entwicklungsprogramms der Vereinten Nationen fähig und willens ist, auch Fragen der sozialen Struktur in die Debatte zu bringen, so wird das seine Wirkung nicht verfehlen. Und er wird sich dabei nicht nur auf die Strategie berufen können, die am 24. Oktober 1970 von den Vereinten Nationen beschlossen wurde, sondern auch auf einschlägige Arbeiten der UNESCO oder der ILO. Man mag darüber streiten, ob die Vereinten Nationen auf dem Gebiet der direkten Friedenssicherung – für das sie gegründet wurden – allzuviel erreicht haben. Auf dem Gebiet der Entwicklungshilfe, für das sie sicher nicht gegründet wurden, könnten sie noch eine große Zukunft haben.

6. Im eigenen Land

Daß es nicht genügt, die Entwicklungsländer zu verändern, daß auch die Industrieländer sich auf eine neue Arbeitsteilung einstellen und umstellen müssen, ist inzwischen eine Binsenweisheit geworden. Trotzdem ist es ein weiter Weg von der Binsenweisheit zur Realität. Es ist weder selbstverständlich noch bedeutungslos, daß im Kabinettsbeschluß vom 11. Februar 1971 der Satz steht: »Strukturänderungen, die durch die verstärkte Integration der Entwicklungsländer in die internationale Arbeitsteilung ausgelöst werden, dürfen nicht aufgehalten werden; sie müssen vielmehr, wenn erforderlich, durch angemessene strukturpolitische Maßnahmen unterstützt werden.« Aber niemand darf sich der Illusion hin-

geben, daß damit das Rennen gelaufen wäre. Die Verhandlungen über die Zollpräferenzen haben gezeigt, wie vorsichtig Regierungen operieren müssen, wenn es um wirtschaftliche Umschichtungen und damit um Arbeitsplätze geht. Hier, im eigenen Land, wird einer der Kampfplätze sein, auf denen im kommenden Jahrzehnt über eine wirksame Entwicklungspolitik entschieden wird. Ein Beispiel:
In der Bundesrepublik Deutschland sind Arbeitskräfte knapper als Kapital. In den meisten Entwicklungsländern ist es umgekehrt. Die eine Antwort darauf sind deutsche Privatinvestitionen in Entwicklungsländern; die andere der Import von ausländischen Arbeitern. In der Bundesrepublik Deutschland arbeiteten im Jahre 1971 mehr als zwei Millionen Gastarbeiter. Die meisten von ihnen stammen aus europäischen Entwicklungsländern oder aus den nordafrikanischen Anrainerstaaten des Mittelmeers. Allmählich kommen auch Arbeiter aus weit entfernten Entwicklungsländern. Sie alle werden in die Bundesrepublik Deutschland geholt, weil ohne sie viele Fließbänder stillständen, Müllabfuhr und Krankenpflege zusammenbrächen.

Ausländische Arbeiter sind für uns ein gutes Geschäft. Da nur die gesündesten angeworben werden, sind sie seltener krank als ihre deutschen Kollegen. Sie zahlen dieselben Steuern wie ihre deutschen Kollegen, doch benutzen sie Gemeinschaftseinrichtungen wie Schulen und Straßen seltener. Ohne ihre Beiträge wären die Renten niedriger oder unsere Beitragslast größer.

Die Wanderung ausländischer Arbeitnehmer in die Bundesrepublik Deutschland wird von den Regierungen ihrer Heimatländer gefördert. Sie haben mit Arbeitslosigkeit zu kämpfen. Die Abwanderung von Arbeitslosen bietet wenigstens vorübergehend ein Ventil. Zudem entlasten die Ersparnisse der Arbeiter in harter Währung die eigene Zahlungsbilanz.

Bei näherem Zuschauen ist die Bilanz weniger günstig. Oft wandern nicht Arbeitslose ab, sondern Kräfte, die in ihrer Heimat dringend gebraucht werden. Aus jedem der betroffenen Länder arbeiten Zehntausende von Fachschulabsolventen und anderen Fachkräften in der Bundesrepublik; und auch die anderen, die vorher keine lange formale Schulung genossen haben, gehören zu den beweglichsten und unternehmungslustigsten Kräften, die auch zur Modernisierung der Heimat beitragen könnten. Versuche der betroffenen Regierungen, die Abwerbung von Facharbeitern zu verhindern, haben bisher nur begrenzten Erfolg gehabt. Andererseits ist die Zahl derer, die in der Bundesrepublik eine berufliche Ausbildung genossen haben, in den meisten Branchen außerordentlich gering. Zwar üben sich die ausländischen Arbeiter in industriellen Arbeitsmethoden und Verhaltensweisen, aber sie gewöhnen sich auch an moderne Arbeitsbedingungen und ein hohes Lohnniveau. Dies alles erleichtert nicht eine sinnvolle Rückgliederung, die den Bedürfnissen der Arbeiter ebenso entspräche wie der Wirtschaft ihres Heimatlandes.

So wie die Entscheidung eines Unternehmens, im Entwicklungsland zu investieren, an den Verhältnissen seines Herkunftslandes orientiert ist, werden auch Gastarbeiter je nach der Interessenlage der deutschen Wirtschaft hereingeholt. Dabei geht es nicht um Entwicklungspolitik, sondern um betriebswirtschaftliche Rentabilität. Erst allmählich beginnt man sich klarzumachen, daß es entwicklungspolitische Bedeutung für die Türkei hat, wenn fast 400 000 Türken in der Bundesrepublik Deutschland arbeiten.

Um die Rückgliederung einiger dieser Arbeitnehmer in das türkische Wirtschaftsleben zu erleichtern und ihre Erfahrungen ihrem Heimatland zugute kommen zu lassen, hat die Bundesregierung ein Bündel von Förderungsmaßnahmen beschlossen.

Seit Juni 1971 werden türkische Facharbeiter, die in ihre Heimat zurückkehren wollen, in Nürnberg neun Monate lang fachlich auf die Meisterprüfung in ihren Berufen (Maschinenbau, Kfz-Reparatur, Elektrotechnik) vorbereitet. Die betriebswirtschaftliche Vorbereitung findet anschließend in der Türkei statt. Ein gleichartiger Kurs soll im Herbst in Köln beginnen. Dann werden insgesamt etwa 150 Türken diese Ausbildung absolvieren.

Die besten Absolventen werden bei der Gründung selbständiger Klein- und Mittelbetriebe, vor allem im Dienstleistungsgewerbe, durch Kredite aus Bundesmitteln unterstützt. Erwartet wird, daß sie einen Teil der Investitionskosten aus eigenen Ersparnissen bestreiten. Die übrigen Absolventen sollen mit Hilfe türkischer Stellen in größere Betriebe vermittelt werden.

In der Türkei können 50 neue Reparaturbetriebe z. B. in der Landmaschinenreparatur oder im Elektroservice eine spürbare Erleichterung bedeuten. An solcher Wirkung im Entwicklungsland wird der Erfolg des Gastarbeiterprogramms zu messen sein.

Doch schon die Zahlen zeigen, daß ein solches Programm, auch wenn man es erweitert und auf andere Länder ausdehnt, keine Lösung des Gastarbeiterproblems in der Bundesrepublik Deutschland sein kann. Von den türkischen Arbeitnehmern sind zwischen 16 bis 20 Prozent Facharbeiter, und nur diese haben die Eingangsvoraussetzungen für eine weiterführende Fortbildung. Aber selbst von ihnen kann das Rückgliederungsprogramm der Bundesregierung höchstens einen kleinen Teil berücksichtigen.

Die Entwicklungshilfe schafft hier ein Modell, das wirtschaftliche und gesellschaftliche Gruppen zur Nachahmung reizen soll. Die Ausbildung der meisten Gastarbeiter ist sehr dürftig, aber nur Ausbildung macht die Beschäftigung der ausländischen Arbeiter in der Bundesrepublik entwicklungspolitisch sinnvoll. Ungelernte Arbeitskräfte gibt es in ihren Heimatländern im Überfluß. Wenn wir langfristig an einer freundschaftlichen Zusammenarbeit mit den Entsendeländern interessiert sind, werden sich unsere öffentlichen und privaten Arbeitgeber angewöhnen müssen, ihren Bedarf an Facharbeitern durch eigene Ausbildungsanstrengungen statt durch Abwerbung zu decken. Dies wird nichts daran ändern, daß auch dann noch ein großer Teil der Gastarbeiter hier als ungelernte Arbeitskräfte die Arbeiten verrichten werden, für die sich keine Deutschen mehr finden. Aber es wird dadurch ein Impuls für das Entsendeland ausgelöst, der diesen Zustand erträglicher erscheinen läßt.

VI. Wissen – Wollen – Können

1. *Öffentliche Meinung*

Ich würde mich nicht wundern, wenn manchem Leser jetzt der Einwand auf der Zunge läge: dies ist ja alles ganz schön, ihr gebt euch Mühe, ihr leistet da manches Sinnvolle, ihr macht euch Gedanken über Ansatzpunkte, Instrumente, Aufgaben, und diese Gedanken leuchten sogar ein. Vielleicht habt ihr wirklich ein wohldurchdachtes Konzept. Aber: reicht dies aus? Könnt ihr garantieren, daß wir damit in zehn oder zwanzig Jahren über dem Berg sind? Wie ist das Verhältnis – oder besser das Mißverhältnis – zwischen der Aufgabe und den Mitteln, die dafür zur Verfügung stehen? Gibt es nicht einen riesigen Abstand zwischen dem, was nötig wäre und dem, was getan wird?

Der Abstand zwischen dem, was nötig wäre und dem, was möglich und durchsetzbar ist, gehört zu den bedrückendsten Erfahrungen aller Entwicklungspolitik. Jan Tinbergen, Vorsitzender des UN-Ausschusses für Entwicklungsplanung, hat im Mai 1971 auf einer Konferenz der sozialistischen Internationale in Helsinki von dem riesigen Abstand gesprochen, der sich auftut zwischen dem, was Wissenschaftler als unausweichlich und unerläßlich erkennen und dem, was Politiker tun.

Ich habe ihm geantwortet, das sei ganz ohne Abstrich richtig, aber es gebe noch eine Lücke, ebenso quälend wie die erste, nämlich zwischen dem, was Politiker eben doch einsehen, und dem, was sie tun können.

Tinbergen richtete einen Appell an die nationalen Regierungen, weil dort nach wie vor die wirkliche Macht liege. Ich antwortete, seit ich mit Entwicklungshilfe zu tun hätte, gehe es mir mit der Lokalisierung Macht so, wie es mir als Kind mit dem Zusammentreffen von Himmel und Erde gegangen sei. Vom Elternhaus aus hätte ich genau gesehen, daß beide sich an einem bestimmten Höhenzug berührten.

Aber als ich dann, voller Spannung, mit meinem Vater dorthin wandern durfte, sei die große Enttäuschung gekommen: Weder seien dort Himmel und Erde zusammengestoßen, noch – und das lernte ich bald – an irgendeiner anderen Stelle. Wo liegt die Macht, entwicklungspolitische Einsichten in Aktion umzusetzen? Sicher hat Tinbergen recht: Regierungen können eine Menge tun. Und er selbst findet, daß das Konzept der Bundesregierung sich sehen lassen kann, wenn man es mit den Konzepten vergleicht, die andere durchgesetzt haben. Aber keine Regierung kann mehr tun, als die öffentliche Meinung zuläßt. Sie kann der öffentlichen Meinung einige Schritte voraus sein – und das ist in der Bundesrepublik Deutschland wohl der Fall – aber sie kann nicht ohne und gegen sie handeln.

Es stimmt nicht, daß die Mehrzahl der Deutschen gegen Entwicklungshilfe wäre. Nein, eine deutliche Mehrheit ist dafür. Nur ein Viertel, meist ältere Menschen, sind eindeutig dagegen. Aber auch die Befürworter werden schwankend, wenn man auf die Bedürfnisse im eigenen Land verweist. (Dabei spuken in den Köpfen abenteuerliche Zahlenverhältnisse. Manche glauben im Ernst, man könne durch Kürzung der Entwicklungshilfe die inneren Reformen finanzieren.) »Man« ist nicht gegen Entwicklungshilfe, aber auch nicht so sehr dafür. Dies gilt vor allem für die Mehrheit in den führenden Gruppen: kaum ein Politiker sagt, er sei dagegen. Das widerspräche auch allen Parteiprogrammen (mit Ausnahme des NPD-Programms). Aber viele flüchten sich in ein ja – aber, wobei das »aber« oft überzeugender klingt als das »ja«. Es ist nicht schick, gegen Entwicklungshilfe zu sein, aber es ist auch nicht schick, allzusehr dafür zu sein. Das könnte jemand als Mangel an Realismus und pragmatischem Sinn auffassen.

Woher kommt diese Haltung? Könnten die Massenmedien sie verändern? Wahrscheinlich, wenn sie sich selbst veränderten. Wer sollte denn die Öffentlichkeit aufklären, wenn die Journalisten in der Bundesrepublik, die von Entwicklungspolitik etwas verstehen, an den Fingern zweier Hände bequem aufzuzählen sind? Viele Informationen und Meldungen aus dem Bereich der Entwicklungspolitik bleiben in den meisten Redaktionen hängen, weil es dort niemanden gibt, der ihren Stellenwert beurteilen könnte. Pressekonferenzen, für die kein abgezogener Waschzettel mitgebracht wird, führen oft zu grotesken Meldungen, nicht, weil irgend jemand bösen Willens wäre, wohl aber, weil ein Journalist, der sich ansonsten gescheit und sachgerecht mit Wirtschafts- oder Außenpolitik beschäftigt, mit Entwicklungshilfe-Statistiken ebensowenig anfangen kann wie mit Neuigkeiten auf dem Felde bilateral-multilateraler Koordination. Welcher Redakteur unseres Fernsehens hat je den Auftrag bekommen, den Bericht der Pearson-Kommission zu lesen, ganz zu schweigen vom Jackson-Bericht über die UN-Organisationen für Entwicklungshilfe? Als die Bundesregierung im Februar 1971 ihr Konzept vorlegte, fanden sich am nächsten Tag allenfalls Zweispalter auf Seite vier bis acht. Als ich – in einer anderen Funktion – ein paar Monate später die Ergebnisse einer Steuerreformkommission mitteilte, machte das Schlagzeilen auf Seite eins. Natürlich gibt es dafür gute Gründe: die Leser und Zuschauer interessieren sich nicht dafür! Eine große Illustrierte, die in einem scharfen Konkurrenzkampf mit anderen Blättern liegt, wird sich hüten, ihren Lesern Bilder über eine technische Schule zuzumuten. Und eine Provinzzeitung, die Meldung über eine neue Düngemittelfabrik auf der ersten Seite brächte, wäre bald von ihrer Konkurrenz überflügelt. Oder meinen sie dies alles nur, weil sie noch nicht gesehen haben, daß dabei der »human touch« mindestens so leicht zu finden ist wie beim letzten Skandal im Sport?

Auch hier ein Circulus vitiosus: Weil die Massenmedien wenig informieren, wissen die Menschen erschreckend wenig. Und sie informieren nicht ausreichend, weil ihr Publikum anderes für wichtiger hält. Die Dritte Welt hat nur noch wenig Zeit. Und wir haben wenig Zeit für die Dritte Welt.

Dazu kommt eine weitere Schwierigkeit: Wenn »Hund beißt Mann« keine Nachricht ist, wohl aber »Mann beißt Hund«, dann sind 98 gelungene Entwicklungshilfeprojekte keine Nachricht wert, wohl aber zwei mißlungene. Dieses Prinzip der Nachrichtenübermittlung mag für die Sozialpolitik oder die Steuerpolitik unschädlich sein: Niemand wird wegen einer Unregelmäßigkeit bei einer Landesversicherungsanstalt die

Rentenversicherung abschaffen oder wegen eines ungehobelten Steuerbeamten alle Finanzämter schließen wollen. Anders bei der Entwicklungshilfe: Wenn es wahr ist, daß mit unserem sauer verdienten Geld goldene Badewannen gekauft oder afrikanische Häuptlinge gemästet werden – wozu denn das alles? Solange deutsche Agrarexperten in Indien ein Gebiet eineinhalbmal so groß wie das Saarland aus einem Hungergebiet in eine Überflußregion verwandeln, ohne daß die deutsche Öffentlichkeit davon Kenntnis nähme, werden Legenden wie die vom goldenen Bett gefährlich.

Dies alles löst die Frage aus, warum denn die Regierung, also das BMZ, nicht mehr zur Aufklärung tue. Sie tut eine ganze Menge, sie verschickt Informationsdienste, organisiert Ausstellungen, sie beliefert Schulen und Jugendgruppen mit Material, sie spricht mit Kultusministern und Schulbuchverlegern, sie druckt populäre und weniger populäre Darstellungen, sie läßt Filme drehen, sie lädt Journalisten zu Projektbesichtigungen ein, sie gibt sich Mühe, das Fernsehen für Entwicklungspolitik zu interessieren. Aber all das reicht nicht aus, zumal Umfragen gezeigt haben, daß die Bürger der Bundesrepublik Deutschland von Entwicklungshilfe um so mehr halten, je mehr sie davon wissen, und um so weniger, je nebulöser ihre Vorstellungen sind. Auf diesem Gebiet ist jede Information schon ein Stück Werbung.

Werbung für Entwicklungshilfe war noch ein relativ einfaches Unterfangen, solange es nur jene zu überzeugen galt, die nicht einsehen wollten, was das alles uns selbst nütze. Da wurde erklärt, daß die Menschen in der Dritten Welt von uns um so mehr kaufen könnten, je reicher sie würden – was nicht falsch ist. Und es wurde dargetan, wie gut es sei, andere zu Freunden zu gewinnen – was auch nicht falsch ist.

Aber je mehr man sich bemühte, Entwicklungshilfe aus unseren eigenen unmittelbaren Interessen abzuleiten, desto mehr formierte sich eine neue Form der Kritik, die sich um das Jahr 1968 zu artikulieren begann: die Neokolonialismus-Opposition. Und diese Opposition von links nahm genüßlich all die Argumente auf, mit denen man die Vorurteile von rechts hatte ausräumen wollen: Seht, ihr gebt ja zu, daß

dies alles nur im Interesse unserer Wirtschaft veranstaltet wird!
Dieser Kritik ist mit ein paar Formeln nicht beizukommen, sie hat ihr ideologisches Fundament und beruft sich auf Informationen – so einseitig und verzerrt sie auch sein mögen. Hier gilt es nicht mit Emotionen, sondern mit Argumenten zu fechten.

2. *Neokolonialismus?*

Das Wort Neokolonialismus will – wenn es exakt gebraucht wird – sagen, daß Kräfte am Werk sind, die versuchen, Abhängigkeiten und Ausbeutungsmechanismen des Kolonialzeitalters mit anderen, weniger auffälligen Mitteln zu konservieren oder neu zu etablieren. Es wäre einigermaßen erstaunlich, wenn es solche Kräfte nicht gäbe. Die koloniale Vergangenheit liegt erst wenige Jahre zurück, und politische Unabhängigkeit ist nicht gleichbedeutend mit wirtschaftlicher.
Im übrigen entstehen Abhängigkeiten überall, wo Schwächere Stärkeren begegnen. Angenommen, es hätte nie ein Kolonialzeitalter, keinen Kontakt zwischen den Industrienationen des Nordens und Afrika, Asien und Lateinamerika gegeben; angenommen, wir hätten die südliche Erdhälfte jetzt erst entdeckt, so würde dennoch bei jedem Kontakt das Problem der Abhängigkeit auftreten, weil ganz einfach der technisch Fortgeschrittenere auch der ökonomisch Stärkere ist. Wir sind weniger angewiesen auf das, was nur die Dritte Welt zu bieten hat, als sie angewiesen ist auf das, was nur wir zu liefern haben. Entwicklungspolitik hat von diesem Tatbestand auszugehen, aber auch ihn anzugehen. Wer allein schon den Tatbestand der Abhängigkeit als »Neokolonialismus« denunziert, gibt lediglich einer einfachen Sache einen anspruchsvollen, emotional aufgeladenen Namen.
Niemand kann bezweifeln, daß der kolumbianische Kaffeepflanzer heute mehr Kaffee liefern muß, wenn er einen Jeep kaufen will, als vor 15 Jahren. Nur: auch der deutsche Bauer – in beiden Teilen Deutschlands – muß heute mehr Weizen als 1950 verkaufen, wenn er einen Traktor anschafft. In aller

Welt verschiebt sich die Preisrelation zwischen Industrieerzeugnissen auf der einen und der Mehrzahl der Primärgüter auf der anderen Seite. Tatsache ist, daß die Entwicklungsländer darunter am meisten zu leiden haben, wenn auch von Land zu Land sehr verschieden. Bei den Rohstoffen kommt es ganz auf die Nachfrage an, auch wenn diese Nachfrage manipuliert werden kann. So sind z. B. die Preise für Kautschuk in den 60er Jahren um 20 Prozent zurückgegangen, während die Preise für ägyptische Baumwolle in dieser Zeit um mehr als 60 Prozent gestiegen sind.
Die »terms of trade« sind nicht das Ergebnis abgründiger Bosheit einiger Kapitalisten (als ob Kommunisten ihre Bananen teurer kauften), sondern der Machtverhältnisse am Markt.[74] Wer versuchen sollte, etwa den Baumwollpreis par ordre de Mufti um weitere 50 Prozent zu erhöhen, würde in den Entwicklungsländern die Produktion von Baumwolle, in den Industrieländern die Herstellung von Kunstfasern in die Höhe schnellen lassen. Am Ende stünde entweder ein Zusammenbruch des Marktes oder aber Marktordnungen, gegenüber denen alle Torheiten der EWG ein Kinderspiel gewesen wären. Wo Preise stabilisiert werden sollen, muß auch das Angebot stabilisiert werden. Eine ganz andere Sache ist, daß dem strukturell unterlegenen Partner besondere Präferenzen eingeräumt werden müssen.
Sicher ist es ein Erbe der Kolonialzeit, daß viele Entwicklungsländer vom Absatz eines einzigen Produkts leben (Kaffee, Erdnüsse, Bananen, Baumwolle). Ein Land, dessen Wohl und Wehe vom Erdnußpreis abhängt, wird nie aus seiner Misere herauskommen. Man mag nun über Entwicklungshilfe denken was man will: daß sie eben diese einseitigen Monostrukturen zu diversifizieren versucht, kann niemand bestreiten. Letztlich zielt sie auf eine neue Arbeitsteilung ab, die immer mehr Entwicklungsländer aus der Rolle des einseitigen Rohstofflieferanten herausführt. Daß sie dabei auf massive Hindernisse stößt, weiß niemand besser als ich.
Wenn heute der reichlich pauschale Vorwurf des Neokolonialismus erhoben wird, so ist dies teilweise auch eine Reaktion auf einen ebenso pauschalen Begriff der Entwicklungs-

hilfe. In der Statistik des Entwicklungshilfe-Ausschusses der OECD, also der nichtkommunistischen Industrieländer, wird zwar korrekt unterschieden zwischen »official aid« (öffentliche Hilfeleistungen) und »private flows« (privater Kapitaltransfer), aber schließlich wird eben doch alles addiert und erscheint in der deutschen Übersetzung als Gesamthilfe. Nun kann privater Kapitaltransfer (dazu gehörten 1968 und 1969 auch jeweils mehr als eine Milliarde Mark Anleihen der Weltbank auf dem deutschen Kapitalmarkt) für die Wirtschaft eines Entwicklungslandes sehr wohl Hilfe bedeuten; der (unnütze) Streit entzündet sich daran, daß das Motiv doch wohl nicht Hilfe sei. Daher wird seit 1969 in unseren deutschen Statistiken sauber zwischen öffentlicher Hilfe und privatem Kapitaltransfer unterschieden.

Wenn von privatem Kapitaltransfer die Rede ist, denkt man fast nur an private Direktinvestitionen. Auf dem Stuttgarter Kirchentag wurde es zeitweise so dargestellt, als bestünde unsere Entwicklungshilfe nur aus Privatinvestitionen. Tatsächlich waren bis einschließlich 1969 von 57 Milliarden DM Gesamtleistungen der Bundesrepublik Deutschland 6 Milliarden DM private Direktinvestitionen, 22 Milliarden DM öffentliche Leistungen. Dies entspricht ungefähr einem Verhältnis 1:3,7. Verglichen mit der Wirtschaftskraft der Bundesrepublik Deutschland (mit ihrem Außenhandel von 235 Milliarden DM im Jahre 1970), ist der Anteil der Privatinvestitionen minimal. Hierbei haben die deutschen Unternehmer in der Dritten Welt in der Regel Gewinne in Höhe von etwa 8 Prozent gemacht, wovon etwa 70 Prozent im Gastland reinvestiert wurden.

Schon aus diesen Zahlen ergibt sich, daß unsere öffentliche Entwicklungshilfe nicht lediglich als flankierende Maßnahme für private Investitionen dienen kann. Während die Schwerpunkte unserer Technischen Hilfe in Afrika, die der Kapitalhilfe in Asien liegen, gehen beinahe drei Fünftel unserer Privatinvestitionen nach Lateinamerika, davon die Hälfte nach Brasilien. Daher ist das Verhältnis von Privatinvestitionen zu öffentlicher Hilfe in Kenia bisher 1 : 9, in der Türkei 1 : 11, in Marokko 1 : 23, in Togo 1 : 25, in Indien 1 : 30, in Indonesien 1 : 39, in Pakistan 1 : 50, in Tunesien

1 : 56, in Ghana 1 : 72. Umgekehrt ist es in Argentinien 3 : 1, in Brasilien 3 : 1, in Mexiko 6 : 1, in Venezuela gar 7 : 1! Das einzige Land, in dem sich private und öffentliche Leistungen aus der Bundesrepublik einigermaßen die Waage halten, ist die Elfenbeinküste. Unsere Privatwirtschaft denkt nicht daran, ihre Investitionsentschlüsse von Entscheidungen der staatlichen Instanzen abhängig zu machen. Dies gilt auch umgekehrt.

Die öffentliche Entwicklungshilfe, die das Hauptthema dieses Buches ist, steht zwar auch unter der Anklage des Neokolonialismus, allerdings nur pauschal. Bisher hat mir niemand nachweisen können, daß dies oder jenes Projekt der Ausbeutung diene (obwohl ein paar in dieser Richtung windschiefe Projekte notfalls zu finden wären), immer wird argumentiert, ein kapitalistisches System könne ex definitione nichts anderes als Ausbeutung betreiben. Was zu beweisen wäre.

Niemand hat mir bisher beweisen können, inwiefern etwa die sowjetische Entwicklungshilfe anders wirkt als unsere. Wo die Sowjetunion Kredite gibt, haben sie denselben Zins wie bei uns, lediglich kürzere Laufzeiten. Wo sie ein Technikum einrichtet, verfährt sie nicht anders als wir. Und manchmal habe ich den Eindruck, daß wir uns über die Folgen für die Sozialstruktur des Entwicklungslandes mehr Gedanken machen als die Sowjets.

Damit wären wir bei dem Vorwurf, unsere Hilfe festige überholte Sozialstrukturen. Das müßte einmal von Projekt zu Projekt nachgewiesen werden, wobei sich wahrscheinlich das eine oder andere finden ließe. Die große Mehrzahl – das gilt für die Technische Hilfe wie für die Kapitalhilfe – dynamisiert Strukturen. Nur wer glaubt, die ersehnte und rettende Revolution in einem Lande werde gefördert, wenn man es im eigenen Saft schmoren lasse, wird unsere Hilfe als Unterstützung von Hierarchien denunzieren können. Bis heute waren es aber nicht die bettelarmen Analphabeten, von denen die Revolutionen in der Geschichte ausgingen. Wo die Bildung verbessert, wo Menschen in Genossenschaften zusammengeführt, wo Industrien aufgebaut werden, entstehen auch Voraussetzungen für sozialen Fortschritt.

3. *Der politische Spielraum*

Ich bedaure die Diskussion über den Neokolonialismus nicht, insofern sie auf Schwächen unserer Politik aufmerksam macht. Aber ich bedaure sie, wenn sie von wichtigeren Fragen ablenkt. Ob wir Neokolonialisten sind oder nicht, wird weniger durch Fakten als durch theoretische Ausgangspositionen entschieden. Ob und wie stark unsere Leistungen in den nächsten Jahren ansteigen, davon hängt für die Entwicklungsländer einiges ab. Ob es eine Gesellschaft gibt, ob es je eine geben kann, die den Entwicklungsländern adäquat und ideal helfen kann, darüber läßt sich trefflich streiten. Die Entwicklungsländer interessiert, ob und wann wir das UN-Ziel von 0,7 Prozent des Bruttosozialprodukts für öffentliche Hilfe erreichen, was wir gegen die Verschuldung der Entwicklungsländer tun, welche Einfuhrpolitik die EWG in den 70er Jahren betreibt, welche Ausbildung unsere Experten erhalten, wie wir unsere Projekte immer stärker in multilaterale Planung einbauen und wie die Anstrengungen der Industrie- und Entwicklungsländer besser koordiniert werden können. Und vor allem interessiert sie, ob wir eine öffentliche Meinung bekommen, mit der sich eine großzügige Entwicklungspolitik durchsetzen läßt. Deshalb verläuft die wirkliche Trennungslinie nicht zwischen denen, die Entwicklungshilfe für ein humanes Werk halten und denen, die sie kritisieren, sondern zwischen denen, die eine bessere Entwicklungspolitik wollen und denen, die vernünftige Entwicklungspolitik in unserem Land für a priori unmöglich erklären.

Die Entwicklungspolitik eines Landes spiegelt heute ziemlich exakt seinen Bewußtseinsstand. Die Krise der amerikanischen Nation ist auch eine Krise ihrer Entwicklungspolitik. Die Aufgeschlossenheit der Schweden läßt sich an den Zahlen ihrer Entwicklungshilfe ablesen.

Jedes Volk hat die Entwicklungspolitik – und schließlich sogar das Entwicklungsministerium –, die es verdient. Sollten sich in Deutschland nur zwei Gruppen zu Wort melden, von denen die eine alle Entwicklungshilfe für hinausgeworfenes Geld, die andere für Neokolonialismus hält, so kann dieses Land den Beitrag nicht leisten, den die Menschen in der südlichen Halbkugel von ihm erwarten. Solange kleine engagierte Gruppen sich aufreiben in einem Zweifrontenkampf gegen pauschale Vorurteile, ist konstruktive Entwicklungspolitik eine Sisyphusarbeit, die nur zu häufig in Frustration endet. Erst wenn eine kritisch engagierte, sachkundige öffentliche Meinung – wie in Schweden – konkrete und gleichzeitig realisierbare Forderungen an die Regierung stellt, erhält Entwicklungspolitik den Stellenwert, der ihr zukommt.

Wer Entwicklungspolitik so versteht, betreibt und darstellt, entgeht nicht dem Störfeuer derer, die in alledem einen Mangel an nationaler Gesinnung sehen. Wo von sozialer Veränderung die Rede ist, argwöhnen sie eine sozialistische Verschwörung, wenn wir uns an den Zielen der Entwicklungsländer orientieren, wittern sie vaterlandslose Gesellen, wo überständig gewordene Ideologien abgebaut werden, wettern sie gegen Ideologen, wo Gefälligkeiten verweigert werden, beklagen sie Mangel an Realismus.

Dies alles wäre nicht so schlimm, würde dadurch nicht der politische Spielraum eingeengt, den jede Politik braucht. Je eleganter sich die Kritiker von links und rechts die Bälle zuwerfen, desto größer wird der Abstand zwischen dem, was ein Politiker einsieht und dem, was er tun kann.

Der Pearson-Bericht definiert Entwicklungspolitik als die Anerkennung der Tatsache, daß das Mühen um bessere Lebensbedingungen nicht mehr teilbar ist. Anders gesagt: Hilfe für die Dritte Welt ist nicht ein Hobby für ein paar versponnene Idealisten, kein Ablaßpfennig zur Beruhigung sensibler Gewissen, keine Pflichtübung für gelangweilte Politiker und keine Exportversicherung für Industrielle. Wo nichts sich einspielt, wo man das Unerträgliche ohne Computer errechnen kann, ist Hilfe für die Dritte Welt der ehrgeizige Versuch, das Leben für alle auf dem Raumschiff Erde einigermaßen erträglich zu machen, damit es nicht für alle unerträglich wird, eine Investition in eine gemeinsame Zukunft, weil es nur eine gemeinsame oder gar keine Zukunft geben wird.

Anmerkungen

1 Siehe Spiegel Nr. 20, 10. Mai 1971.

2 Siehe L. J. Lebret, Dynamique concrète du développement, Paris 1961.

3 Aus der unveröffentlichten Langfassung der Dissertation von E. Eisenlohr S. 40/41: »Der Staat sorgte ferner mit bevölkerungspolitischen Maßnahmen für ein gleichgewichtiges Verhältnis zwischen Mensch und Land: durch die Errichtung der Mitimaes (Muster-Familienverbände) wurden Menschen aus dicht besiedelten Gegenden in weniger bevölkerte Gebiete verpflanzt, um jedem Staatsangehörigen das für seinen Lebensunterhalt notwendige Stück Land zu gewähren.«

4 R. F. Behrendt, Soziale Strategie für Entwicklungsländer, Frankfurt a. M. 1965, S. 258.

5 Zahlen aus den Länderkurzberichten des Statistischen Bundesamtes.

6 ILO, Genf 1970, Towards a World Employment Programme, S. 32.

7 F. Baade, Weltweiter Wohlstand, Oldenburg und Hamburg 1970, S. 9: »... daß die größte Wohlstandsreserve der Entwicklungsländer gerade in den Millionen von arbeitsfähigen Menschen liegt, ...« »Die heute in äußerster Armut lebenden Völker besitzen also eine fast unerschöpfliche Goldgrube: Hunderte von Millionen nahezu unproduktiver, aber mobilisierbarer Arbeitskräfte.«

8 Ebenda S. 25.

9 Spiegel Nr. 23/71, S. 29.

10 H. R. Hulett, Optimum World Population, Bio Science, vol. 20 No. 3 (1970).

11 Paul R. Ehrlich, Anne H. Ehrlich, Population, Resources, Environment. Issues in Human Ecology, San Francisco 1970, S. 201.

12 Hermann Kahn, Anthony J. Wiener, The Year 2000. A Framework for Speculation on the next Thirty-Three Years, London 1968, S. 139.

13 Presse- und Informationsamt der Bundesregierung, Bulletin Nr. 65, S. 667.

14 Nach dem Pearson-Bericht haben 19 Staaten in der Zeit von 1960 bis 1967 durchschnittliche Zuwachsraten des BSP um jährlich mehr als sechs Prozent erreicht. Aus dieser Gruppe verfügten neun Länder über oder ab 500 US-Dollar BSP pro Kopf der Bevölkerung, z. B. Mexiko, Libyen, Panama. Nur drei Entwicklungsländer mit relativ geringem Pro-Kopf-Einkommen

(100 bis 199 US-Dollar) konnten ebenfalls Wachstumsraten von mehr als sechs Prozent erzielen, nämlich Thailand, Mauretanien und Südkorea. Siehe Pearson-Bericht, Deutsche Ausgabe, Wien–München–Zürich 1969, Anhang, Tabelle II, 8.

15 Siehe W. W. Rostow, Stadien wirtschaftlichen Wachstums, Göttingen 1960.

16 P. u. A. Ehrlich, a. a. O., S. 127.

17 Ivan Illich, Muß die Dritte Welt wie die Erste werden? in: Neues Forum, Mitte Mai 1970, S. 568.

18 Julius K. Nyerere, Freedom and Socialism, Uhuru na Ujamaa, Dar-es-Salaam 1969, S. 267/68.

19 Ebenda S. 275.

20 Vortrag in Salzburg bei der Konferenz »Jugend und Entwicklung«, Mai 1970.

21 Generaldirektor Maheu in seiner Grußbotschaft zum Internationalen Erziehungsjahr 1970.

22 Nyerere, a. a. O., S. 354.

23 E. F. Schumacher, Industrialization through »Intermediate Technology«, in: Industrialization in Developing Countries, hrsg. von Ronald Robinson, Cambridge Univer. Press 1965.

24 Ivan Illich, Almosen und Folter, München 1970, S. 133.

25 Siehe Nachrichten für Außenhandel NfA 13. Mai 1971.

26 Das Weltbeschäftigungsprogramm, ILO 1969, S. 43.

27 Vgl. ebenda S. 44–47.

28 Ebenda S. 43 f.

29 Ebenda S. 30 f.

30 Der Pearson-Bericht S. 82.

31 Entwicklungshilfe-Politik und Leistungen der Mitglieder des Ausschusses für Entwicklungshilfe, OECD 1970, S. 235.

32 Vgl. G. Myrdal, Politisches Manifest über die Armut in der Welt, Frankfurt a. M. 1970, S. 13 f.

33 Weltbeschäftigungsprogramm, S. 31.

34 R. Prebisch, Change and Development, Washington 1970, S. 28.

35 Weltbeschäftigungsprogramm, S. 48 f.

36 Ebenda S. 31.

37 Vgl. Entwicklungshilfe – Politik und Leistungen der Mitglieder des Ausschusses für Entwicklungshilfe, OECD 1970, S. 229 f.

38 Schätzung der UN-Wirtschaftskommission für Lateinamerika im Jahr 1960. Zitiert bei R. Prebisch, Change and Development – Latin America's great task, Interamerikanische Entwicklungsbank, Washington 1970, S. 112.

39 IBRD–IDA–IFC, Trends in Developing Countries, Washington 1970, Tabelle 4.5 und Annual Report 1970, a. a. O., S. 43.

40 Trends in Developing Countries, Tabelle 4.3.

41 Vgl. Anmerkung 40.

42 Ebenda Tabelle 4.4.

43 Berechnet nach IBRD/IDA, Annual Report 1970, S. 44.

44 Der Pearson-Bericht, S. 107.

45 Berechnet nach IBRD/IDA, Annual Report 1970, S. 44.
46 Vgl. Pearson-Bericht, S. 118, und Auswertung der Dokumentation der zweiten Welthandelskonferenz (1968) Heft 1, S. 25–27, und Heft 2, S. 211.
47 Berechnet nach Trends on Developing Countries, Tabelle 4.1.
48 Vgl. Anmerkung 45.
49 Vgl. Auswertung der Dokumentation der zweiten Welthandelskonferenz, Heft 2, S. 210.
50 Ebenda S. 221.
51 Der Pearson-Bericht, S. 189.
52 Trends in Developing Countries, Tabellen 3.6 und 3.7.
53 Berechnet nach IBRD/IDA Annual Report 1970, S. 68 u. 71.
54 Der Pearson-Bericht, S. 71.
55 Ziffer 17 des Strategiedokuments der Vereinten Nationen.
56 Der Pearson-Bericht, S. 35.
57 Vgl. Myrdals hervorragende Beschreibung des »soft state«, des durch Bürokratismus, Nepotismus und Korruption gekennzeichneten schwachen Staates. Politisches Manifest, a. a. O., S. 102 ff.
58 Lindner, in: Überseerundschau, Mai 1971, S. 14.
59 R. F. Mikesell, The Economics of Foreign Aid, Chicago 1968, S. 11: »If there are any national economic benefits accruing to aid donors (other than from export credits), they are largely indirect, highly tenuous, and of such a long-term nature that their discounted value will almost surely be exceeded by present costs.«
60 Vom Gesamtexport der BRD im Jahre 1970 (123 Milliarden DM) ging der größte Teil in westliche Industrieländer (97 Milliarden DM) und in die »Staatshandelsländer« (7,3 Milliarden DM); in die Entwicklungsländer gingen Waren im Werte von 18,7 Milliarden DM. Die Ausfuhren nach Entwicklungsländern hatten sich seit 1965 um 38 Prozent erhöht, die in die westlichen Industrieländer um 75 Prozent, die in die Staatshandelsländer sogar um 170 Prozent (vorläufige Zahlen).
61 Der Pearson-Bericht, S. 28.
62 Rudolph A. Peterson, Chairman: US Foreign Assistance in the 1970s: A new approach. Report to the President from the Task Force on International Development, March 4, 1970.
63 Siehe dazu beispielsweise R. F. Mikesell, The Economics of Foreign Aid, S. 7.
64 »Durch die Entwicklungshilfe wurden oft Exporte aus den Industrieländern gefördert oder finanziert, die mit den Entwicklungszielen der Empfängerländer wenig zu tun hatten.« Der Pearson-Bericht, S. 73. – Daß dieses Problem auch in der multilateralen Hilfe besteht, ist erneut im Jackson-Bericht deutlich gemacht worden. Hier führen häufig bestimmte Eigeninteressen der einzelnen multilateralen Fachorganisationen dazu, daß Projekte ausgewählt und durchgeführt werden, die ebenfalls wenig mit den Entwicklungszielen der Empfängerländer zu tun

haben (United Nations, A Study of the Capacity of the United Nations Development System, Genf 1969, vol. II, S. 75).

65 Der Pearson-Bericht, S. 22–23.

66 M. E. Bond und F. J. Mathis, The Disinterest in Foreign Aid: An Appraisal, in: *Kyklos*, Jg. 23 (1970), H. 3, S. 469.

67 Ebenda S. 448 ff.

68 Die entwicklungspolitische Konzeption der Bundesrepublik Deutschland und die Internationale Strategie für die Zweite Entwicklungsdekade. Hrsg. vom BMZ, Bonn 1971, S. 13 f.

69 Ebenda S. 16 f.

70 Ebenda S. 17.

71 Ebenda S. 9 f.

72 Ebenda S. 25.

73 Ebenda S. 12.

74 Vgl. Myrdal, Politisches Manifest, a. a. O., S. 274 ff.

Ausgewählte Literatur

Baade, Fritz, Dynamische Weltwirtschaft. München 1969. Weltweiter Wohlstand. Oldenburg und Hamburg 1970.

Behrendt, Richard F., Soziale Strategie für Entwicklungsländer. Frankfurt 1965.

Besters, Hans und Boesch, Ernst (Hrsg.), Entwicklungspolitik, Handbuch und Lexikon. Stuttgart und München 1966.

Bundesministerium für wirtschaftliche Zusammenarbeit (Hrsg.), Entwicklungspolitische Konzeption der Bundesrepublik Deutschland und Internationale Strategie für die Zweite Entwicklungsdekade. Bonn 1971. Strukturdaten der Unterentwicklung. Frankfurt 1971.

Bundesstelle für Außenhandelsinformation, Die Konferenz der Gruppe der 77 und die Charta von Algier. Bearbeitet und übersetzt von M. Timmler – Köln 1968.

Chesneaux, Jean, Geschichte Ost- und Südostasiens im 19. und 20. Jahrhundert. Köln 1969.

Dankwerts, Dankwart, Entwicklungshilfe als imperialistische Politik. Dortmund 1968.

Dennert, Jürgen, Entwicklungshilfe, geplant oder verwaltet? Bielefeld 1968.

Die Dritte Welt als Bildungsaufgabe, Offene Welt Nr. 99/100. Köln und Opladen 1969.

Dumont, René, L'Afrique Noire est mal partie. 1967.

Duve, Freimut, Der Rassenkrieg findet nicht statt. Entwicklungspolitik zwischen Angst und Armut. Düsseldorf und Wien 1971.

Ehrlich, Paul R. und Anne H., Population, Resources, Environment. Issues in Human Ecology. San Francisco 1970.

Eisenlohr, Edda, Agrarreform in Ecuador im entwicklungspolitischen Kräftespiel. Dortmund 1969.

EKD (Sozialwissenschaftl. Institut) und Brot für die Welt, Entwicklungspolitische Dokumente. Wuppertal-Barmen 1970.

Engelbrecht, Helga (Hrsg.), Materialien zur Entwicklungshilfekritik. Bonn DSE 1969.

Evangelischer Akademikertag, Entwicklungspolitik zwischen Geschäft und Gewissen. Sechster Evangelischer Akademikertag. 2. bis 4. Oktober 1970 in Tübingen. Dokumentation.

Eppler, Erhard, Entwicklungspolitik und Eigeninteressen. In: Europa-Archiv, Folge 6, 1971. Spannungsfelder. Beiträge zur Politik unserer Zeit. Stuttgart 1969.

Fanon, Frantz, Die Verdammten dieser Erde. Frankfurt 1966.

Food and Agriculture Organization of the United Nations (FAO), Provisional Indicative World Plan for Agricultural Development. A Synthesis and Analysis of Factors Relevant to World, Regional and National Agricultural Development (»FAO-Weltleitplan«). 2 Bde. Rom 1969. The State of Food and Agriculture 1970. Rom 1970.

Fohrbeck, Wiesand, Zahar, Heile Welt – Dritte Welt (Ergebnisse der Schulbuchanalyse). Opladen 1971.

Fritsch, Bruno (Hrsg.), Entwicklungsländer. Neue Wissenschaftliche Bibliothek. Köln–Berlin 1968.

Fritsch, Bruno, Die Vierte Welt. Stuttgart 1970.

Gatz, W., Auswertung der Dokumentation der zweiten Welthandelskonferenz (1968). 3 Bde. Schriftenreihe des BMZ. Stuttgart 1970.

Heinrichs, Jürgen (Hrsg.), Welternährungskrise oder ist eine Hungerkatastrophe unausweichlich? rororo aktuell. Reinbek 1968.

Holzer, Werner, 26mal Afrika. München 1967.

Horlemann, Jürgen, Modelle der kolonialen Konterrevolution. Frankfurt 1968.

Illich, Ivan D., Almosen und Folter. Verfehlter Fortschritt in Lateinamerika. München 1970.

Institut für Sozialforschung an der Johann-Wolfgang-Goethe-Universität, Kritische Analyse von Schulbüchern zur Darstellung der Probleme der Entwicklungsländer und ihrer Positionen in internationalen Beziehungen, hektogr. Frankfurt 1970.

Internationales Arbeitsamt (ILO), Das Weltbeschäftigungsprogramm. Genf 1969.

International Labour Organization (ILO) (Hrsg.), Towards Full Employment – An Employment Strategy for Colombia. Genf ILO 1970.

Jesus, Carolina Maria de, Tagebuch der Armut. Aufzeichnungen einer brasilianischen Negerin. Frankfurt 1968.

Kahn, Hermann, Wiener, Anthony, J., The Year 2000. A Framework for Speculation on the Next Thirty-Three Years. Macmillan, London–New York 1968.

Klingener, K. H., Meyer J. und Seul, D., Die Zweite Entwicklungsdekade der Vereinten Nationen – Konzept und Kritik einer globalen Entwicklungsstrategie. Düsseldorf 1971.

Lefringhausen, Klaus, Merz, Friedhelm, Das zweite Entwicklungsjahrzehnt 1970 bis 1980. Wuppertal-Barmen 1970.

Lerner, Daniel, The Passing of Traditional Society. Modernizing the Middle East. Free Press Paperback Edition. New York 1965.

Lewis, Oscar, Die Kinder von Sánchez. Selbstporträt einer mexikanischen Familie. Fischer Bücherei 1967.

Lüning, Hildegard (Hrsg.), Mit Maschinengewehr und Kreuz oder wie kann das Christentum überleben? rororo aktuell. Hamburg 1971.

Mao Tse-tung, Theorie des Guerilla-Krieges. Reinbek 1966.

Massachusetts Institute of Technology, Man's impact on the global environment. MIT Press 1970.

Meueler, Erhard, Soziale Gerechtigkeit. Einführung in die Entwicklungsproblematik am Beispiel Brasiliens und der Bundesrepublik Deutschland. Textbuch und Didaktisches Beiheft. Düsseldorf 1971.

Michanek, Ernst, The World Development Plan. A Swedish Perspective. Stockholm 1971.

Myrdal, Gunnar, Politisches Manifest über die Armut in der Welt. Frankfurt 1970. Asian Drama. 3 Bde. London 1968.

Nyerere, Julius K., Freedom and Socialism. Uhuru na Ujamaa. Oxfort University Press, Dar es Salaam 1969.

Organization for Economic Cooperation and Development (OECD), Entwicklungshilfe – Politik und Leistungen der Mitglieder des Ausschusses für Entwicklungshilfe. Paris 1970.

Pearson, L. u. a., Der Pearson-Bericht. Bestandsaufnahme und Vorschläge zur Entwicklungspolitik. Wien–München–Zürich 1969.

Paul VI., Populorum Progressio. Über den Fortschritt der Völker. Kommentar und Einführung von H. Krauss S. J. Herder-Bücherei. Freiburg 1970.

Prebisch, Raúl, Change and Development, Interamerican Development Bank. Washington 1970.

Rostow, Walt Whitman, Stadien wirtschaftlichen Wachstums. Göttingen 1960.

Scheel, Walter, Konturen einer neuen Welt. Düsseldorf 1965.

Schumacher, E. F., Technische Zwischenlösungen. In: Stichwörter zur Entwicklungshilfe. Nürnberg 1970.

Steinbuch, Karl, Programm 2000. Stuttgart 1970.

Turnham, D., The Employment Problem in Less Developed Countries – A Review of Evidence OECD. Paris 1970.

United Nations, A Study of the Capacity of the United Nations Development System. (»Jackson-Bericht«). 2 Bde. UN Genf 1969.
Wischnewski, Hans Jürgen, Nord-Süd-Konflikt. Beiträge zur Entwicklungspolitik. Hannover 1968.
World Bank, International Development Association, Annual Report 1970. Washington 1970. Trends in Developing Countries. Washington 1970.

Zeitschriften und Reihen

Afrika Heute, Herausgegeben von der Deutschen Afrikagesellschaft.
Aktion Entwicklungshilfe, Jugenddienst Verlag / Verlag Haus Altenberg, herausgegeben von Baumgärtner, S., Falkenstörfer, H., Lefringhausen K.
Blätter des iz3w, Herausgegeben vom Informationszentrum Dritte Welt.
DED-Brief, Information des Deutschen Entwicklungsdienstes. Herausgegeben vom Deutschen Entwicklungsdienst (DED), Bonn-Bad Godesberg.
Entwicklungspolitik, Materialien. Herausgegeben vom Bundesministerium für wirtschaftliche Zusammenarbeit.
Entwicklungspolitik, Spiegel der Presse. Herausgegeben vom Bundesministerium für wirtschaftliche Zusammenarbeit.
Entwicklung und Zusammenarbeit, Herausgegeben von der Deutschen Stiftung für Entwicklungsländer, Bonn.
epd-Entwicklungspolitik, Herausgegeben vom Informationsdienst der Zentralredaktion des Evangelischen Pressedienstes, Frankfurt.
Far Eastern Economic Review, Hongkong.
Inter Economics, Monthly Review of International Trade and Development. Monatsschrift. Verlag Weltarchiv GmbH, Hamburg.
Internationales Afrika-Forum, Monatsschrift München.
Internationales Asien-Forum, Vierteljahresschrift München.
Landwirt im Ausland, Herausgegeben von DLG, DSE und GAWI.
Marchés tropicaux et méditerranéens, Paris. Herausgegeben von Moreux, René.
Schriften der Kübel-Stiftung, Herausgegeben von der Kübel-Stiftung Bensheim-Auerbach.
Schule und Dritte Welt, Texte und Materialien – Anregungen für den Unterricht. Herausgegeben vom Bundesministerium für wirtschaftliche Zusammenarbeit.
Wissenschaftliche Schriftenreihe des Bundesministeriums für wirtschaftliche Zusammenarbeit, Ernst Klett Verlag.
Vierteljahresberichte Probleme der Entwicklungsländer, Herausgegeben vom Forschungsinstitut der Friedrich-Ebert-Stiftung.